思いがけず利他

中島岳志

はじめに

コロナ危機《きき》によって「利他《りた》」への関心が高まっています。

マスクをすること、行動を自粛《じしゅく》すること、ステイホームすること——。これらは自分がコロナウィルスにかからないための防御策である以上に、自分が無症状《むしょうじょう》のまま感染《かんせん》している可能性を踏《ふ》まえて、他者に感染を広めないための行為でもあります。

いまの自分の体力に自信があり、感染しても大丈夫と思っても、街角ですれ違う人の中には、疾患《しっかん》を抱《かか》えている人が大勢いるでしょう。恐怖心を抱きながらも、電車に乗って病院に検診に通う妊婦《にんぷ》もいる。通院が不可欠な高齢者もいます。一人暮らしの高齢者は、自分で買い物にも行かなければなりません。感染すると命にかかわる人たちとの協同で成り立っている社会の一員として、自分は利己的な振る舞いをしていていいのか。そんなことが一人一人に問われています。

ロンドン大学教授のグレアム・メドレーは、ヨーロッパでコロナウィルスが猛威《もうい》を振るった二〇二〇年三月に言いました。「あなた自身がすでに感染している前提で振る舞いなさい」――。

私たちは「巣《す》ごもり」をしました。大切な人とも会えない。生きがいだった社会的活動も制約される。勉強も仕事も、思うように進まない。そんないらだちの中、「ソーシャルギフトサービス」(e-Gift)の市場が、若者を中心に拡大しました。高価な贈り物ではなく、日常のささやかな感謝を伝えるために、ささやかなギフトを贈る。スマホ経由でコーヒー一杯などのギフト券を贈る、いわば「ちょこっと贈与《ぞうよ》」が話題になりました。

若者を中心に、利他的な行為への関心が高まっているというのは、世界的に確かな傾向のようです。医療従事者や様々なエッセンシャルワーカーへの感謝の伝達行為も広がりました。寄付やクラウドファンディングなどに参加した人も多いでしょう。これは大変重要な潮流《ちょうりゅう》だと思います。

利他の困難

しかし、一方で、「利他」には独特の「うさん臭さ」がつきまとうことも事実です。利他的行動に積極的な人に対して、「意識高い系」という言葉が揶揄《やゆ》を込めて使われたり、「偽善者《ぎぜん》」というレッテルが貼られたりすることがあります。結局のところ、利他的な振る舞いをすることで「善い人」というセルフイメージを獲得しようとする利己的行為なのではないかという疑念が、そこには湧き起こってしまうのです。

しかも利他行為の「押し付けがましさ」は、時に暴力的な側面を露《あら》わにします。誰かから贈与を受けたとき、私たちは「うれしい」という思いと共に、「お返しをしなければならない」という「負債感《ふさい》」を抱きます。うれしいんだけども、プレッシャーがかかるというのが、贈与の特徴です。もし、返礼をする余裕がない場合、二人の間には、次第に「あげる人」「もらう人」という上下関係が構築されていきます。「私はあの人を援助している」／「あの人からは一方的にもらってばかりだ」という双方の思いが蓄積していくと、ここに支配－被支配の関係が自《おの》ずとできあがっていきます。これが利他的な贈与の怖いところです。

利己的な利他？

コロナ危機の中で、フランスの経済学者ジャック・アタリの「合理的利他主義」という考え方に注目が集まりました。アタリは、利他主義という理想への転換こそが、人類のサバイバルの鍵《かぎ》であると主張します。自らが感染の脅威にさらされないためには、他人の感染を確実に防ぐ必要がある。利他主義であることは、ひいては自分の利益となるというのです。つまり、利他主義は最善の合理的利己主義に他ならないというのがアタリの主張です。

彼は、利他的行為によって最も恩恵を受けるのは、その行為を行っている自己であるという「間接互恵《ごけい》システム」を説いています。利他行為を「善意」から解放し、利己的なサバイバル術として運用すべきというのですが、どうでしょう？　やはり何か引っかかるものが残りませんか？　結局のところ、利己的欲望の実現やサバイバルのために「利他」を利用する構想は、利他が持っている豊かな世界を破壊し、利己的世界観の中に閉じ込めてしまうのではないかという思いが、どうしてもよぎります。

もし利己主義的な利他行為が広がっていけば、本当に利他の循環《じゅんかん》が起きるのか、私には疑問です。「利己的な利他行為」を受け取る側としては、常に「それって、あなたの利益のためにやっているんだよね？」という思いが湧き起こるため、受け取った利他のバトンを他者に受け渡そうとする思いが、失われるのではないでしょうか。利己的なメッセージ付きの贈り物は、やはり不愉快です。「これがいずれ私に利益をもたらしますように」と暗に記された物・行為を受け取っても、利他の喜びは想起されません。むしろ嫌な気持ちになりますよね。

利他の扉を開く

利他には様々な困難が伴います。偽善、負債、支配、利己性……。利他的になることは、そう簡単ではありません。

しかし、自己責任論が蔓延《まんえん》し、人間を生産性によって価値づける社会を打破する契機が、「利他」には含まれていることも確かです。コロナ危機の中で私たちの間に湧き起こった「利他」の中にも、新しい時代の予兆《よちょう》があるのではないでしょうか。

では、どうしたらいいのか？

私は利他の本質に「思いがけなさ」ということがあると考えています。利他は人間の意思を超えたものとして存在している。このことは本文でじっくりと述べていきたいと思います。

私が勤務する東京工業大学では、二〇二〇年二月に「未来の人類研究センター」という組織を設立し、「利他プロジェクト」という研究をスタートさせました。私は、大切な仲間と共に、「利他」について日々考えています。そして、その成果を社会的に実践していきたいと思っています。

私は、多くの人たちが、この仲間に加わってくださることを願っています。本書が、その一環になれば幸いです。

では、「利他」の扉を、開いていくことにしましょう。

目次

第三章　受け取ること

第四章　偶然と運命

◎引用の出典は、［著者 刊行年：頁］で示す。これは、各章末に付した引用文献一覧と対応している。

第一章

業の力——It's automatic

落語「文七元結」

私が「利他」という問題を考える際、その核心に迫っていると考える落語の噺《はなし》があります。「文七元結《ぶんしちもとい》」です。この噺は明治中期に三遊亭圓朝《さんゆうていえんちょう》が創作したもので、明治政府の中核に就《つ》いた薩摩《さつま》・長州出身者に対して「江戸《えど》っ子《こ》気質《きしつ》」を提示した噺とされています。元来の江戸っ子にしてみれば、薩摩・長州の出身者は田舎侍《いなかざむらい》です。そんな彼らが政治権力を握り、東京の町を闊歩《かっぽ》する姿が気に入らなかったのでしょう。「江戸っ子の心意気を見せてやる」という思いが、「文七元結」には反映されていると言われています。

この噺の主人公は長兵衛《ちょうべえ》。腕のいい左官《さかん》職人です。しかし、あるときから博打《ばくち》にはまってしまい、仕事がおろそかになってしまいました。妻のお兼《かね》と娘のお久《ひさ》は、貧困生活を余《よ》儀《ぎ》なくされます。家財道具や着物は、大方売ってしまい、家にはわずかばかりの生活用品しか残っていません。それでも長兵衛は博打をやめず、なかなか家に帰ってきません。

ある日のことです。長兵衛が博打を終えて家に帰ると、お兼の様子がいつもと違います。聞くと、お久が昨晩から家に帰ってこず、あちこち探したものの、見つからないと言います。困っていると、そこに吉原の「佐野槌《さのづち》」という店の番頭がやって来て、「うちへ来ていますよ」と言う。長兵衛は妻の身につけている着物を借り、吉原に駆けつけました。

するど、佐野槌の女将《おかみ》が出てきて、長兵衛に説教を始めます。せっかく腕のいい職人なのに、博打ばかりして家族を困らせている。時に暴力まで振るう。娘は家を出て、吉原に「身を沈める」ことで、お金を作ろうとしている。「長兵衛さん、悪いと思わないのかね。どうする気なんだね」

女将は一つの提案をします。今から五十両を貸すので、真面目《まじめ》に働いて、来年の大晦日《おおみそか》までに返しに来ること。それまで娘は自分が預かり、用事を手伝ってもらう。もし、約束を守れず、五十両を期日までに返せなければ、娘は店に出す。「どうする長兵衛さん、性根据《す》えて返事をおし……」

長兵衛は女将と約束をし、五十両を受け取ります。そして、女将に促され、娘に礼を言います。これまで威張《いば》っていた父が、自己の不甲斐《ふがい》なさを突きつけられ、娘に頭を下げるこの場面は、落語家にとって腕の見せ所です。

店を出た長兵衛は、帰り道を急ぎます。そして、浅草の吾妻橋《あづまばし》にさしかかったところで、一人の若者が川に身投げをしようとしていることに気づきます。慌てて若者を抱きかかえ、飛び込むことを阻止《そし》すると、若者は涙ながらに「どうぞ、助けると思って死なせてください」と懇願《こんがん》します。事情を聞くと、取引先から預かった五十両を道で盗まれたと言い、店の主人に申し訳が立たないと話します。何度も長兵衛が止めるものの、ふとした隙《すき》に、若者は川に飛び込もうとします。

ここで長兵衛は苦しみます。懐《ふところ》には先ほど借りたばかりの五十両がある。これを若者に渡せば、彼の命を救うことができる。しかし、この五十両は娘が作ってくれたお金で、これを手放してしまうと、借金返済は不可能になる。どうするべきか。

長兵衛は悩み抜いた末、五十両を差し出します。そして、大金を持っている事情を話し、娘が客を取ることになっても悪い病気にかからないよう「金比羅《こんぴら》様でもお不動様でもいい。拝んでくれ」と言います。そして五十両を投げつけて、その場を去っていきました。

若者の名は文七。彼は五十両を手に店（近江屋）に戻ると、盗まれたと思っていたお金が届いており、取引先に置き忘れてきたことがわかります。文七は動揺します。そして、吾妻橋で死のうとしていたところ、名も知らない人から五十両をもらったことを主人に打ち明けます。

主人は五十両を差し出した男に感銘《かんめい》を受け、番頭を使って探し出します。やっとのことで家を突き止め、文七と共に五十両を届けに行きます。

主人は長兵衛に五十両を返却したあと、「表に声をかけてくれ」と言います。すると、そこにはきれいに着飾った娘のお久が立っていました。五十両を佐野槌に渡し、着物を買い与え、お久を連れてきたのです。

「お久が帰ってきた」と長兵衛が言うと、着物を夫に貸して、裸のままのお兼が飛び出してきます。親子三人、その場で抱き合って涙を流します。その後、文七とお久は結婚し、「文七元結」という小間物屋《こまものや》を開業した。これが「文七元結」という噺のあらすじです。人情噺の代表作とされ、これを十分に演ずることができれば一人前の真打《しんう》ちとして認められるとされる作品です。

ポイントは、五十両と共に起動する「利他」です。父を助けようとする娘、長兵衛を助けようとする女将、文七を助けようとする長兵衛、そして近江屋の主人。利他的贈与が連鎖し、五十両が循環することで、みんなに幸福がもたらされます。

しかし、重要なことは長兵衛が必ずしも「根っからの善人」や「規範的な人間」ではないということです。いや、むしろ博打に明け暮れ、家族に暴力を振るうどうしようもない人間です。そんな長兵衛が、大切な五十両を、たまたま出会っただけの若者にあげてしまう。しかも名前も告げずに去ってしまう。その動機は何なのかが、この噺の勘所《かんどころ》であり、最大の謎です。

なぜ長兵衛は、名も知らぬ若者に五十両を差し出したのか？

この解釈は、演ずる落語家によって分かれます。

まず【解釈A】は、「文七への共感」です。長兵衛は、吾妻橋で身投げしようとする訳《わけ》を聞きます。すると、近江屋にとって大切な五十両を、自分の不注意で盗まれてしまい、主人に申し訳が立たないことが理由だとわかります。この文七の「主への忠義」に感じ入ったから、そして文七の「正直さ」「まっすぐな生き方」に心を動かされたから五十両を差し出したというのが、この解釈です。

もう一つの【解釈B】は「江戸っ子の気質」という、なかなか説明がつかない理由です。「俺も江戸っ子だ」と語る噺家もいれば、「見殺しにしては目覚めが悪いから」と語る噺家もいますが、共通するのは、あえて明確な理由を提示しないことです。行動のあり方から「江戸っ子」の気風《きっぷ》を表現しようとします。

古今亭志ん朝と立川談志の解釈

私は落語通というわけではないので、あらゆる噺家の「文七元結」を聞いたわけではありません。数は限られています。ですので、断定はできませんが、「文七元結」の演じ方としては、概《おおむ》ね【解釈A】と【解釈B】の混合した形式が多いように思います。

例えば、三代目古今亭志ん朝《ここんていしちょう》。いわずと知れた戦後を代表ずる落語家ですが、彼が四十代の頃に演じた「文七元結」では、【解釈A】と【解釈B】が重層的に語られています。

長兵衛は五十両を差し出す寸前に、ふと「ばか正直なんだな、てめえは」と漏らします。これは非常にぶっきらぼうな言い方ですが、青年の純粋さへの共感がさりげなく示されています。長兵衛が文七の人柄に惹《ひ》かれ、何とかして「誠実なこの青年を助けたい」という意志を持っていく様子が演じられます。これが【解釈A】の部分です。

一方、長兵衛は「黙って帰ると形がつかない」と言い、五十両の受け取りを拒否する文七に対して「一度出したものを引っ込めるわけにはいかねえ、持ってけ」と突き放します。これなどは明らかに「江戸っ子気質」を強調する台詞で、【解釈B】の部分に当たります。

志ん朝は、【解釈A】と【解釈B】を巧《たく》みに織り込み、あっという間に長兵衛と文七の人物像を浮かび上がらせます。さすが名人で、思わず聞き惚《ほ》れてしまいます。

これに対して、ライバル関係にあった立川談志は、異なったアプローチでこの場面を演じます。談志の特徴は、明確な【解釈A】の欠如です。二〇〇三年十月に京王プラザホテルで演じた「文七元結」では、「江戸っ子だ、言ってみろ」「江戸っ子だからな」と語り、「江戸っ子気質」が繰り返し強調されます。そして、「（吾妻橋を）通った俺が悪いんだから」と、偶然性や運命を贈与の理由にします。「何か言え、畜生《ちくしよう》!」「あーっ、あーっ」と逡巡《しゆんじゆん》し、さんざん苦悶《くもん》したあげく、仕方がないといった感じで「五十両やろう」と言います。

もう一つ重要なことがあります。談志は夜の吾妻橋に、霧《きり》をかけます。この場面は、すべてが霧の中で展開します。つまり誰も見ていない。長兵衛の行為を誰かが見ていて、「あいつはえらい奴だ」といったような社会的評判になることはありません。二人の間だけで展開する出来事です。

談志は、一九九二年の高座《こうざ》を収録したDVDに「文七元結」を収録し、次のようなコメントを添えています。

世の中、これを美談と称し、長兵衛さんの如く生きなければならない……などと喋る手合いがゴロゴロしてケツカル。大きなお世話である。

談志は、長兵衛の贈与を「美談」とすることを拒絶します。長兵衛が文七に共感し、青年を助けたいという良心を起こして五十両を差し出すという解釈を退《しりぞ》けます。

談志は一体、長兵衛の行為をどう捉えているのか。ここに私は贈与を考える重要なポイントがあると思っています。

共感の危うさ

ここで少し、「共感に基づく利他」の問題を考えておきましょう。通常、利他的行為の源泉は、「共感」にあると思われています。「頑張っているから、何とか助けてあげたい」「とってもいい人なのに、うまくいっていないから援助したい」——。そんな気持ちが援助や寄付、ケアを行う動機づけになるのではないでしょうか。

他者への共感、そして贈与。この両者のつながりは非常に重要です。コロナ危機の中でも、窮地に陥《おちい》った人たちへの贈与は、様々な共感の連鎖によって起こりました。これはとても意味のあることです。

しかし、一方で注意深くならなければならないこともあります。

共感が利他的行為の条件となったとき、例えば重い障害のある人たちのような日常的に他者からの援助・ケアが必要な人は、どのような思いに駆《か》られるでしょうか。

おそらくこう思うはずです。

――「共感されるような人間でなければ、助けてもらえない」

人間は多様で、複雑です。コミュニケーションが得意で、自分の苦境をしっかりと語ることができる人もいれば、逆に他者に伝えることが苦手な人もいる。笑顔を作ることも苦手。人付き合いも苦手。だから「共感」を得るための言動を強《し》いられると、そのことがプレッシャーとなり、精神的に苦しくなる人は大勢いるでしょう。

そもそも「共感される人間」にならなければならないとしたら、自分の思いや感情、個性を抑制しなければならない場面が多く出てきます。

「こんなことを言ったらわがままだと思われるかもしれない」「嫌なことでも笑顔で受け入れなければいけない」「本当はやりたくないのに」……。

そんな思いを持ちながら、「共感」されるために我慢を続ける。自分の思いを押し殺し続ける。むりやり笑顔を作る。そうしないと助けてもらえない。そんな状況に追い込むことが「利他」の影で起きているとすれば、問題は深刻です。

渡辺一史《かずふみ》さんが書いた『こんな夜更けにバナナかよ』という本があります。二〇〇三年に北海道新聞社から出版され、大宅壮一ノンフィクション賞と講談社ノンフィクション賞を同時受賞しました。大泉洋《よう》さんが主演した映画をご覧になった方も多くいらっしゃると思います。

この本の主人公は鹿野靖明《しかのやすあき》さん（一九五九年—二〇〇二年）。彼は進行性筋ジストロフィーを抱えており、一人では体を動かせません。痰《たん》の吸引を二十四時間必要とするため、必ず他者のケアが必要になります。

鹿野さんは自立生活を望み、ボランティアと交流しながら生きる道を選択します。彼の特徴は、強烈な生きる意志。「強いようで弱くて、弱いようで強い。臆病なくせに大胆で、ワガママなわりに、けっこうやさしい」［渡辺 2013：9］。そんな鹿野さんは自分をさらけ出し、ボランティアとぶつかり合いながら、生きていきます。

彼はイライラが募《つの》ると、怒りを露わにし、ボランティアにぶつけます。深夜に突然、箇易ベッドで寝ているボランティアを起こし、「腹が減ったからバナナ食う」と言い出したりします。ボランティアも腹が立つ。感情がぶつかり合う。しかし、そんな衝突の中から相互理解が生まれ、ボランティアの側の生き方が変わっていく。助けているはずが、いつの間にか助けられている。そんなケアをめぐる不思議な関係性に迫った名作が『こんな夜更けにバナナかよ』です。

鹿野さんとボランティアの関係は、「共感される人間にならないと助けてもらえない」という観念を突破し、その先の深い共感に至ることで構築されたものですが、鹿野さんには、他者とまっすぐぶつかることのできる才能があったと言えるかもしれません。そして、このような関係性の構築には時間が必要になります。

鹿野さんのケースを前提に、「より深い共感」を利他の条件にしてしまうと、今度は自分の思っていることや感情を露わにしなければならないという「別の規範」が起動してしまいます。そうすると、「自分をさらけ出さないと助けてもらえない」という新たな恐怖が湧き起こってきます。

いずれにしても、「共感」は当事者の人たちにとって、時に命にかかわる「強迫観念」になってしまうのです。

「人間の小ささ」を大切にする

さて、立川談志の落語に戻ります。

長兵衛の利他行為から、文七への「共感」をそぎ落とした談志は、五十両を差し出す動機づけを、どう捉えたのか。

このことを考察するためには、談志の落語論に分け入る必要があります。談志は生涯、いくつかの落語論を書いていますが、なかでも四十九歳のとき（一九八五年）に出版した『現代落語論』其二　あなたも落語家になれる』が重要です。

談志はここで、「落語とは、ひと口にいって『人間の業《ごう》の肯定を前提とする一人芸《いちにんげい》である』といえる」と言っています［立川 1985：14］。談志の落語論の要《かなめ》である「業の肯定」です。

落語家は単なる「笑わせ屋」ではない。「目的は別にある」。それが「業の肯定」。人間のどうしようもなさを肯定することで、救いをもたらすのが落語だと言います。

談志にとって、人間はいかなる存在なのか。

〝人間の業〟の肯定とは、非常に抽象的ないい方ですが、具体的にいいますと、人間、本当に眠くなると、〝寝ちまうものなんだ〟といっているのです。分別のある大の大人《おとな》が若い娘に惚れ、メロメロになることもよくあるし、飲んではいけないと解っていながら酒を飲み、〝これだけはしてはいけない〟ということをやってしまうものが、人間なのであります。［立川 1985：17］

談志は「講談」と「落語」の違いに言及します。例えば忠臣蔵。赤穂浪士《あこうろうし》が主君の仇討《あだう》ちのために吉良上野介《きらこうずけのすけ》の命を奪い、全員切腹になる話ですが、「講談」と「落語」では、同じ素材を扱っても、全く別のものになると言います。忠臣蔵の主題は「成せば成る」。講談は討ち入りをした人たちの忠義を描きます。人間の格好良さを描くのが講談です。

そして言います。

落語は違うのです。討ち入った四十七士はお呼びではないのです。逃げた残りの人たちが主題となるのです。そこには善も悪もありません。良い悪いもいいません。ただ、〝あいつは逃げました〟〝彼らは参加しませんでした〟とこういっているのです。つまり、人間てなァ逃げるものなのです。そしてその方が多いのですョ……。そしてその人たちにも人生があり、それなりに生きたのですョ、とこういっているのです。こういう人間の業を肯定してしまうところに、落語の物凄さがあるのです［立川 1985：20］

人間は、みんなが正義や義勇心に満ちあふれた存在ではありません。当然、家族もあれば生活もある。討ち入りをして、自分が死んでしまったら、家族を養っていくことができない。自分勝手に自分の思いを果たせばいいというものでもない。人殺しも切腹も怖い。死にたくない。だから逃げる。逃げて生きていく。生き延びて、やがて名も残さず死んでいく。そんな選択をした人間の人生を肯定するのが「落語の物凄《ものすご》さ」だと言うのです。

人間は、平凡な日常を生きていくために、非凡な知恵を発揮しています。談志は、そんな「平凡の非凡」を抱きしめます。人間は愚かで間違いやすい。時に誘惑に負け、身を持ち崩すこともある。しかし、人は世の中と折り合いながら、たくましく生きていく。騙されることがあるかもしれない。騙すこともあるかもしれない。ルールを破り、痛い目に遭《あ》うこともある。業の深い存在としか言い様がない。そんな人間のどうしようもなさを肯定するのが、落語の醍醐味《だいごみ》だと言います。

これは、無秩序や無規範の肯定とは異なります。むしろ逆で、人間の愚かさを見つめることで、良識や良心の重要性があぶり出されるのが落語です。

［落語は人間の業を肯定するが］社会に生きている以上、人間が生活《くら》しているかぎり、生活《せいかつ》の基本は存在するし、ルールはあくまでも厳しいと、知った上のことである。だからといって落語でも人間どう勝手に生きてもいいし、勝手に生きるものだとはいっていない。人間生活の基盤は当り前のことながら、認めたうえのことであって、それだからこそ、八公・熊公の業の肯定が喜ばれているので、けっして無暗矢鱈《むやみやたら》に勝手に生きることを主題としているわけではない。［立川 1985：26-27］

では、落語が重視するものは何か。それは「小義名分」である。そう談志は言います。人間は小さな存在です。細かいことに執着し、嫉妬《しっと》ややっかみを繰り返す。エゴイズムから逃れ出ることもできない。しかし、その「人間の小ささ」を大切にするのが落語であると、談志は主張します。

人間は小義にこだわるものである。落語のなかには、人生のありとあらゆる失敗と恥かしさのパターンが入っている。落語を識っていると、逆境になった時に救われる。すくなくとも、そのことを思いつめて死を選ぶことにはなるまい、と私は思っている。[立川 1985：29]

卑小《ひしょう》なる人間の「業」を見つめ、温かく包み込むことで、存在そのものを肯定する。「いのち」を抱擁《ほうよう》する。人間の不完全性を容認し、大らかなまなざしを向ける。そのことによってこそ、人間は救われる。談志は、これが落語のエッセンスだと言うのです。

業とは何か？

ここで「業」について、考えてみましょう。「業」とは一体何か。

ヒンドゥー教において「業」（カルマ）とは、輪廻《りんね》という観念と結びつくため、前世の「報《むく》い」として語られます。今の自分が苦しい思いをしているのは、前世の悪行の報いであるとされ、因果論や決定論、宿命論として機能します。

しかし、仏教では「業」を宿命論から解放しようとします。仏教とヒンドゥー教は同じインド世界で誕生した宗教ですが、対立点があります。それはアートマンの存在をめぐる見解の相違です。アートマンとは、意識の最も深い内側にある個の根源を意味し、「真我《しんが》」と訳されます。ヒンドゥー教では、このアートマンが宇宙の摂理であるブラフマンと同一の存在である（＝梵我一如《ぼんがいちによ》）と説かれます。

これに対して、仏教では「アートマン」の存在を否定します。むしろ、存在しない「真の我」に固執《こしゆう》することで「我執《がしゆう》」が生まれ、苦しみが増幅されると言われます。絶対に変わることのない我という幻想から解放され、「無我《むが》」を認識すること。これが大切だと説かれます。

仏教では「無我の我」というあり方が説かれます。「無我」というのは、アートマンの否定です。世の中は無常であり、常に変化の途上にあります。だから、「我」もまた無常で、変わりゆく存在です。

では、仏教では「私なんていない」と主張しているのかというと、そうではありません。

「私」はここに存在します。では、ここにいる「私」とは、どのような存在なのか。

それは「変わりゆく私」です。私たちはいろいろな人と出会います。本などを通じて、思想や観念と出会い、物語と出会います。動物との出会いもある。自然との出会いもある。一枚の絵との出会いによって、人生が変わってしまうかもしれない。私たちは、日々、新たな出会いを繰り返しながら、生きています。

ここで仏教にとって重要な観念が登場します。「縁起《えんぎ》」です。

私たちは、無数の可能性の中から、極めて限定された出会いを経験しています。今この文章を読んでくださっていること自体、とても奇跡的な出会いです。なぜこの文章を読むことになったのかを辿っていくと、それは「たまたま」としか言いようのない無数の「縁」が連鎖し、ここに至ったことがわかると思います。すべての現象は、様々な原因や条件が折り重なり、相互に関係しあうことによって成立しています。特定の存在は、それ自体として独自に存在しているわけではありません。

私という存在だって、同じです。今の私が存在し、今の私が特定の価値観を持って生きていることは、複雑な縁の相互関係によって成り立ったものです。そして、これから新たな「縁」を得ることで、私のあり方はどんどん変化していきます。これが「無我の我」です。アートマンは存在しない。だからこそ、「縁起」という力によって生成し、変化し続ける「我」が存在する。「我」とは一種の現象である。これが仏教の存在論です。

そのため、仏教における「業」は宿命論ではありません。それは「縁起による業」です。私は常に縁起的現象として存在しています。私が私を所有しているのではありません。私は「縁起」によって変化し続ける存在です。

これは「私らしさ」という軛《くびき》から、私を解放してくれます。「私らしくあろう」とすることで、私は「仮想の私」「あるべき私」に支配され、苦しんでいます。「縁起」による「無我の我」という考え方は、そんな「私への固執」(＝我執)から私を解放し、無限の変化への扉を開いてくれます。「無我の我」という教えは、自分探しという迷路から、私を救出してくれます。

しかし、一方で、「縁起」というのは怖い存在でもあります。なぜなら、この先の私は、縁によってどのような振る舞いをするかわからない存在だからです。今の私だってそうです。私という存在は、自分でも手のつけようのない深い煩悩《ぼんのう》を抱えた存在であり、今後、新しい変化を遂げたとしても、欲望から逃れることはできないでしょう。むしろ、とんでもない存在になってしまうことだってありえます。

私の力ではどうにもならないもの。縁という力に支配されているもの。これが私をめぐる「業」です。

親鸞の「悪人正機」

この「業」の問題を深く探究したのが、親鸞《しんらん》です。彼は人間の「どうしようもなさ」と徹底的に向き合い、自力《じりき》の限界を見つめた僧侶です。

親鸞の説いた有名な概念に「悪人正機《しょうき》」があります。これは親鸞の死後、弟子の唯円《ゆいえん》が書いた『歎異抄《たんにしょう》』に明記されています。

『歎異抄』第三章には「善人なおもって往生を遂ぐ、いわんや悪人をや」と書かれています。これは「善人でさえ救われるのだから、悪人はなおさら救われる」という意味ですが、文字通り読むと、大変な誤解を受ける文章です。現に「悪人こそが救われるのであれば、盗みや傷害など、悪行を重ねたほうが往生できる」と解釈し、あえて犯罪を行う人まで出てきてしまいました。

もちろん、親鸞は犯罪を奨励しているわけではありません。「悪人正機」を理解するためには、もう少し『歎異抄』を読み進めてみる必要があります。
親鸞は次のように言っています。

原文　煩悩具足の我らは、いずれの行にても生死を離るることあるべからざるを、憐れみたまいて願をおこしたまう本意、悪人成仏のためなれば、他力をたのみたてまつる悪人、もっとも往生の正因なり。

現代語訳　煩悩にまみれた私たちが、どんな修行をしたところで、生死の迷いを離れることができないのを、あわれとお思いになって、願を立てられた阿弥陀仏のご本意こそは、悪人を救いとって仏とするためであるから、阿弥陀仏の本願にすべておまかせしきっている悪人こそ、実は浄土に生まれるのにもっともふさわしい人なのである。

ここで考えなければいけないのは、「罪」という概念です。「罪」は英語でcrimeとsinという単語があります。
crimeというのは「犯罪」です。他者を傷つけたり、物を盗んだりすると、私たちは警察に捕まり、法に従って処罰を受けます。これに対してsinは「存在すること自体の罪」です。

私たちは、毎日、何かを食べて生きています。その食べ物は、すべて生き物です。肉であろうと野菜であろうと、私たちは常に動植物の命を奪って生きています。私たちは何かを殺しながら生きています。殺さなければ生きられない存在。それが人間です。

この「生きること」そのものに組み込まれた罪がsinで、親鸞はsinにかかわる「悪」から、人間は逃れることができないことを深く認識しました。

人間は煩悩によってできている。だから欲望や怒りなどから解放されることがない。常に迷いの中に生きていくしかない「どうしようもない存在」である。阿弥陀仏は、そんな人間の醜《みにく》さを照らし出す。しかし、その光によって、私たちは自己の「悪」に自覚的になり、反省的契機をつかむことができる。そんな仏の光に照らされた人間こそ、救いを得ることができる――。これが親鸞の「悪人正機」の考え方です。

ここから自力の限界と他力《たりき》の救いという考え方が導かれます。「煩悩具足《ぐそく》の凡夫」である人間は、愚かで弱い存在です。その能力には決定的な限界があり、自分の力ではどうにもできないことがたくさんあります。人間の本質は、絶対的な無力です。私たちの命は有限で、すべての人間が死を迎えます。私たちは死にあらがうことができません。

しかし、そのような限界や悪に気づいたとき、私たちに「他力」がやって来ます。「他力本願」というと、「他人まかせ」という意味で使われますが、浄土教における「他力」とは、「他人の力」ではありません。「阿弥陀仏の力」です。「仏力」というように言い換えたほうが理解しやすいかもしれません。

自力に溺《おぼ》れている者は、他力に開かれません。自分の力を過信し、自分を善人だと思っている人間は、「自力」によって何でもできると思いがちです。一方、「自力」の限界を見つめ、自分がどうしようもない人間だと自覚する人間には、自己に対する反省的契機が存在します。この契機こそが、他力の瞬間です。私たちは絶対的な仏の存在に照らされ、深い反省と共に、仏の光に包まれる。親鸞が見つめ続けたのは、この瞬間に他なりません。私たちは、このとき真の念仏に出会う。何かを求めて念仏(「南無阿弥陀仏」)を誦《とな》えるのではなく、念仏が阿弥陀仏からやって来て、私たちの口から発せられるのです。

人間の業、仏の業

親鸞はこの地点から「業」について考察します。親鸞の議論のポイントは、業に突き動かされているのは人間だけではなくて、仏も同じだという点です。

まず人間の側から見ていきましょう。繰り返しになりますが、人間は自己のどうしようもなさを、阿弥陀仏の「大悲《だいひ》の光明」に映し出されることで気づきます。他力に照らされた衆生《しゅじょう》が、「煩悩具足の凡夫」であることを深く認識し、「罪業深重の業」に気づく。これが「機の深信《じんしん》」といわれるものです。反省的契機の瞬間が、同時に仏からの救済の瞬間なのです。

一方、仏の側の業（＝仏業）ですが、これは阿弥陀仏の「大願業力」と表現されます。阿弥陀仏の働きで、衆生を救済する他力です。

ここで重要になるのが法蔵菩薩《ほうぞうぼさつ》の存在です。法蔵菩薩というのは阿弥陀仏（＝阿弥陀如来）の前身です。法蔵菩薩は長い年月、修行を積み、功徳《くどく》を積み重ねた末に阿弥陀仏になったのですが、その過程で「願」を起こします。これを「四十八願」と言います。

四十八個ある「願」の中で重要なのが、「十八願」です。法蔵菩薩は、たとえ自分が仏になるとしても、すべての衆生が往生することがなければ私は仏にはならないと宣言します。そして、最終的に衆生の死後往生が約束されたと認識し、阿弥陀仏になりました。この法蔵菩薩の請願（四十八願）のことを「大願」と言い、四十八願に基づく衆生救済の力を「大願業力」と言います。阿弥陀仏が衆生に働きかける仏業、つまり「他力」です。「他力」はすなわち「仏の業」なのです。

親鸞の主著『教行信証《きょうぎょうしんしょう》』には、次のように記されています。

原文　一切善悪の凡夫、生まるることを得るは、みな阿弥陀仏の大願業力に乗じて、増上縁とせざるはなきなり、と。

現代語訳　善人悪人を問わずどのような凡夫でも、阿弥陀仏の業力に乗託《じょうたく》する限り、必ず極楽浄土に往生することができる。

さて、ここで疑問が湧きます。なぜ阿弥陀仏の「他力」は「業」なのでしょうか。「業」とは、止まらないものです。仕方がないものであり、どうしようもないもの。不可抗力であり、意思を超えた存在です。つまり「オートマティック」なものです。

宇多田ヒカルさんのヒット曲に「Automatic」があります。この曲の歌詞に、次のような一節があります。

It's automatic／側にいるだけで　その目に見つめられるだけで／ドキドキ止まらない
No とは言えない／I just can't help

あなたがそばにいて、見つめられているだけで、ドキドキが止まらない。ドキドキしたいと思っているわけでも、ドキドキしようと思っているわけでもない。どうしようもなくドキドキしてしまう。それはオートマティックなもので、意思を超えたもの。不可抗力です。

「業」とは、It's automaticなのです。私たち衆生の業もオートマティックなものですが、仏の業もオートマティックなものです。仏は衆生を救ってしまうのです。煩悩にまみれ、悪人としてしか生きることのできない私たちを、必ず救済する。そんな「他力」は、止まらないものです。

仏はどうしようもなく、私たちを救済してしまう。だから仏の「業」なのです。

「聖道の慈悲」と「浄土の慈悲」

さて親鸞は、ここから「利他」の問題を考えます。すなわち「慈悲《じひ》」という問題です。『歎異抄』には、「慈悲」が明記されています。それは「聖道の慈悲」と「浄土の慈悲」です。

原文

慈悲に聖道・浄土のかわりめあり。

聖道の慈悲というは、ものを憐れみ愛しみ育むなり。しかれども、思うがごとく助け遂ぐること、極めてありがたし。

浄土の慈悲というは、念仏して急ぎ仏になりて、大慈大悲心をもって思うがごとく衆生を利益するをいうべきなり。

今生に、いかにいとおし不便と思うとも、存知のごとく助け難ければ、この慈悲始終なし。しかれば念仏申すのみぞ、末徹りたる大慈悲心にて候べき、と云々。

現代語訳

慈悲といっても、聖道門と浄土門では違いがある。

聖道門の慈悲とは、他人や一切のものを憐《あわ》れみ、いとおしみ、大切に守り育てることをいう。しかしながら、どんなに努めても、思うように満足に助け切ることはほとんどありえないのである。

それに対して、浄土門で教える慈悲とは、念仏によって速《すみ》やかに浄土に生まれ、仏のさとりを開き、大慈悲心を持って思う存分、生を受けた人々に恵みを与えることをいうのである。

この世で、かわいそう、なんとかしてやりたいと、どんなに哀れんでも、心底から満足できるように助けることはできないから、聖道門の慈悲は、一時的で徹底せず、いつも不満足のままで終わってしまう。

こうしたわけだから、弥陀の本願に救われ念仏する身になることのみが、徹底した大慈悲心なのである、と聖人は仰せになりました。

「聖道の慈悲」というのは、「いいことをしよう」「いい人になろう」「かわいそうだから施《ほどこ》

しをしよう」というもので、自力の利他です。しかし、これにはどうしても限界がありま
す。一時的で徹底しないもの（＝「この慈悲始終なし」）です。

これに対して「浄土の慈悲」は、他力の利他です。自分はどうしようもない人間で、本質的な悪から逃れることのできない存在です。そのことを認識したとき、私たちに念仏がやって来ます。私たちは他力に導かれ、死後に浄土へ行きます。そして、浄土で仏になり、仏業によって衆生を救済します。これが「浄土の慈悲」です。

私たち衆生には、「自力」を超えた「他力」の働きかけがやって来ます。私たちは、その力を受けて生きています。「他力」を受けるためには、自己が「煩悩具足の凡夫」であることを自覚しなければなりません。自分の「罪業深重の業」を認識することで、仏業を受容することができるのです。

人間が行う利他的行為は、この他力が宿ったときに行われるものです。意思的な力（＝自力）を超えてオートマティカルに行われるもの。止まらないもの。仕方がないもの。どうしようもないもの。あちら側からやって来る不可抗力なのです。

落語と人情噺

さて、ようやく談志の落語に戻りましょう。

談志は二〇〇九年に、『談志　最後の落語論』を出版しています。彼の落語論の集大成と言えるでしょう。

円熟の域に達し名声を獲得した談志は、それでもまだ悩んでいます。それは、人情噺の位置づけです。「文七元結」をはじめ、「子別れ」や「芝浜」は、談志が得意とした噺です。今でも伝説の高座として語られる回がいくつかありますが、その演目の多くは人情噺です。

しかし、納得がいかない。自らの「業の肯定」という落語論と人情噺の整合性がうまくとれないのです。

この本の中で、談志は人間には「いいことをやってしまうという業」というものがあり、それが人情噺であると言っています。ただ、次のように付け加えます。

〝なら、いいこと、立派なことをするのも業ですネ〟と言われれば、〝そうだろう〟で

はあるものの、そっちの業は、どっかで胡散臭《うさんくさ》い。［立川 2018a : 27］

そして、「〝それは違うなァ〟と、若き俺様はどこかでそう感じ、そのまま今日まで生きてきた。〝そのギャップに生きている〟とも言える」とも言います［立川 2018a : 30］。

このギャップは、「文七元結」において、頂点に達します。談志は、生涯を通じて「文七元結」を人情噺とすることに疑問を持ち、その解釈に悩み続けました。一九九三年に刊行された『立川談志独り会　第二巻』には、「文七元結」が収録されていますが、ここで「解説」として、次のようなことを書いています。

一人前の真打ちなら、大概この噺を演る筈である。

逆にいうと、この噺が出来なきゃあ、一人前の真打ちでない、ともいえる位、真打ちの格に相応《ふさわ》しい噺とされている。

でも、私は何かひっかかるのだ。

それは落語と人情噺の差のことである。

「人情噺」とは、一体何を指すのか。言葉通り人情のある噺ではあろう。その人情とは非人情でなく、暖かい人間の心、優しさであろう。

だが、〝落語は違う筈だ〟と書いたし、また、喋って来た私である。

世の常識という、人間が共に生きられるように、また、住み良くなる為の方法を、落語家は、〝無理しているのだ〟と分かっていた。

で、常識の為の学習を取っ払って、今日迄生きて来たのだ。

労働を否定し、生産に参加せず、正義を迷惑がり、親切をお節介と皮肉って来たのである。［立川 1993：437］

落語はどうしようもない人間を見つめてきた。「業の肯定」こそが、落語の本質だと考えてきた。その観点からすると、人間の利他性を描く「人情噺」をどう捉えればいいのか。長兵衛が文七に五十両を差し出した理由を、どう考えればいいのか。これがどうしても腑《ふ》に落ちないと言うのです。

談志は仮のロジックを提示します。世の常識というものは、たとえ「他人には親切に」と言っていても、実際は「他人のことなど考えず、自己の利益を追求せよ」と教えてきた。不親切こそが世間での「常識の為の学習」だったではないか。だとしたら、「この噺も学習を嫌う落語の範疇に入れられるともいえないことはない」［立川 1993：438］。

しかし、これでも納得しません。彼は次のように「解説」を締めくくります。


でも、でも、どうも、この親切てなぁ照れる。照れる位だから、どっかで私も親切なのだろう。

いや、お節介なのだろう。

長兵衛さんは、お節介という感じではない。面倒になった、もういいや、ナンダカワカンなくなっちゃったな……と演っているのだが……。〝たまには他人《ひと》に親切もいいではないか〟ということか。

早い話が、親切の定義が、まだ私にはハッキリしていないのである。［立川 1993：438］

談志は、「文七元結」に決着をつけることができず、最晩年を迎えます。

最後の立川談志

談志は二〇一〇年に出版された『談志　最後の根多帳』という本で、「文七元結」を論じています。彼はある高座で、「このあと演りましょうか」と言って、創作した噺の続きを演じたといいます。

談志は、次のような会話を付け加えました。

「なあ、おい、お久も文七も幸せでいいなァ」

「……でもお父っつぁんは前から言おうと思ってたんだけど、あれ、金が見つかったからよかったけど、金が見つからなかったらどうするつもりだったの」

「そうだよな」

「でも、あそこで金をやっちゃったってのが、俺の最後の博打《ばくち》だったんだなァ、うん」

「あれば、ちんたら〳〵使って、なくなってたんじゃねえかな」［立川 2018b：88］

そして、次のように言います。「こう付け加えることによって、いくらか落語リアリティを入れたというか、『人情噺』という作り話に対して、槍《やり》を一本入れたつもりだったのだがネ」［立川 2018b：88-89］。

私は最後の「だがネ」がどうしても気になります。まだ、何か言いたいことがある。何か言い切れていないものがある。そんな未完結性と余韻《よいん》が、ここには残されています。

つまり談志は、まだ納得していないのです。

もう少し踏み込んで語っている高座があるので、見てみましょう。二〇〇三年十月、京王プラザホテルの高座です。

談志は最後のサゲのあと、おもむろに語り始めます。

「だけど、これやっててねー」「照れる」「感情移入できない」「こんなに人間は順序だっているのか？」

なのに、なんで演ったかというと、やっている中で、客と共同の価値観を探れると思ったからだと言います。そして、つぶやきます。「なんで五十両やるんだろうね？」「えらいところを通っちゃったからやるんだけどね」

談志は観客に向かって言います。「続きをやるから」

そして、長兵衛が文七に五十両を差し出したのが「最後の博打だった」と語ります。これが「凶と出るか、吉と出るか」。そして、「吉と出たから博打をやめられた」。最後に「裸になって分かった」というサゲで、噺を終えます。

やはり、談志は最後まで決着がついていません。「博打をやめるための博打だった」という解釈は、筋道がつきすぎています。業の豊かな不可解さが失われています。

私は、この解釈だと、「文七元結」のエッセンスが損なわれるように思えて仕方がありません。ポイントは、長兵衛が文七に五十両を渡すことが「業の力」だということだと思います。そうでなければ、「落語は業の肯定」という談志の卓越した定義が破綻《はたん》してしまいます。

私は、ここに「人間の業」と「仏の業」が同時に働いていると考えています。凡夫の「どうしようもなさ」という「業」が、「利他の本質」へと反転する構造こそ、「文七元結」の要だと思います。

そして、ここに落語の凄《すご》みがあると信じています。どうしようもない人間を単に肯定しただけでは、落語を聞いたあとの余韻を説明できないからです。

――どうしようもない人間のどうしようもなさ（業の肯定）を聞くことで、私たちはなぜ救われるのか。なぜ世界を温かく抱きしめる感覚を抱くのか。

ここに深いレベルでの世界への信頼があり、救済があるのだと思っています。

「たった一つだけの頼み」

「文七元結」の重要なポイントは、長兵衛が文七に言った「たった一つだけの頼み」にあると思います。

長兵衛は五十両を差し出し、自分が大金を持っている事情を説明したあと、「だったら頼みが一つある」「金比羅様でもお不動様でもいい。拝んでくれ」と言います。五十両を大晦日までに返さなければ、娘は店に出されてしまう。悪い男から病気をうつされるかもしれない。人生がボロボロになってしまう。もう自分にはどうすることもできない。

長兵衛は、吾妻橋で絶対的な無力に立たされます。

彼は直前に、吉原の佐野槌で、自分の「どうしようもなさ」に直面します。女将に諭され、娘に謝ることで、自己の不甲斐なさを思い知らされます。

博打をやめられない自分。仕事をしない自分。腹いせに家族に暴力を振るう自分。罪と悪にまみれ、家族に迷惑をかけ続けている自分に対する嫌悪感が湧き上がり、慚愧《ざんき》の念に堪《た》えなくなります。

長兵衛は、自己の「弱さ」と向き合い、それを認めます。女将に大金を借り、娘に謝る無様《ぶざま》な自分をさらけ出します。

その直後です。彼は吾妻橋で身投げしようとしている青年に出会い、大切な五十両を出してしまいます。

ここで重要なのは、自己のどうしようもなさの認識が、他者への親身につながっていることです。そして五十両を手放してしまう。

一体、長兵衛の中で、何が起きているのでしょうか。

当然このとき、長兵衛は未来の結末を知りません。この五十両を差し出したことが、のちに自分に幸福をもたらすとは考えていません。のちのち自己への利益・恩恵となって返ってくるとは、思ってもみなかったでしょう。未来は暗闇の中です。

五十両を出すことと、未来の利益の間には、この時点で因果が成立していません。因果は結果としてもたらされたものであって、因果を前提とした意図的行為ではありません。長兵衛の行為は、未来への投資として行われたものではありません。

長兵衛は、大切な娘を救う手立てを喪失しました。彼が直面したのは、自己の徹底的な無力です。何もできない無様な自分。裸になった自分。そんな彼は、「拝んでくれ」と懇願するところまで追い込まれています。

——拝むこと。祈ること。

長兵衛に宿ったものとは何なのか。

青空の梅干しに

ここで、私が経験したことを書きたいと思います。

長男が生後二カ月足らずの年末に、高熱を出したことがありました。咳《せき》はどんどんひどくなり、ぐったりしています。大晦日の夜七時。たまらず夜間救急診療所に連れていきました。

そこは、まるで野戦病院。廊下にも人があふれ、多くの人がベンチにうずくまっていました。

子どもは相変わらず全身で咳《せ》き込んでいます。しかし、なかなか順番が回ってきません。張り裂けそうな思いで待っていると、ようやく名前が呼ばれました。

受診すると、流行っていたRSウィルスの可能性を示唆《しさ》されました。しかし、大晦日の夜。今からの入院は難しいと言います。検査をして、RSウィルスだとわかったところで、夜救診では処置の仕様がないと言います。とりあえず薬を飲ませて、家で安静にするしかないと言われ、不安なまま家路につきました。

子どもの咳は、連日続きました。お正月ムードは吹き飛び、夫婦交代で我が子を抱き続けるしかありませんでした。

とにかく薬を飲ませる以外、何もしてあげられない。抱きしめることしかできない。自らの根源的な無力を突きつけられ、オロオロするしかありませんでした。

そして五日後。

ようやく咳がおさまりました。熱は下がり、笑顔がこぼれました。

久しぶりの安堵《あんど》に包まれ、窓の外を眺めました。寒空の中から、日がさしていました。

私は、子どもを寝かしつけようと思い、日差しにつられて、つい歌を口ずさみました。なぜか「元祖天才バカボン」（アニメ版）のテーマ曲が口をついて出てきたのです。

「青空の梅干しに、パパが祈るとき……」

この冒頭の歌詞を口にした途端、私の目から大粒の涙があふれだしました。何とか止めようとしても、止まらない。子どもはぽかんとした表情で、父の泣き顔を見ていました。どうしたのか。なぜ涙があふれるのか。

しばらくの間、自分で自分の心が捉えきれないでいたのですが、「あっ、そうか」と不意に気が付きました。「この五日間、自分は祈り続けていたんだ」

祈っているという自覚は、全くありませんでした。祈る余裕すらなかったというのが実情でした。ただただ胸が締め付けられ、動揺していただけでした。

しかし、私は祈っていたのです。無力な自己を子どもの前にさらすしかなかったとき、私は無言で、無自覚に祈っていたのです。正確に言えば、祈りが私にやって来て、宿っていたということになるでしょう。

不可抗力的に機能しているもの

長兵衛が「裸になってわかったこと」は何か？　それは自分の力を超えた「他力」の存在です。そこに現れたのが「仏の業力」であり「浄土の慈悲」です。

「聖道の慈悲」（＝自力の慈悲）は、どうしても嘘くさい噺になります。そして、説教くさい。

談志は、そんな噺を落語の範疇《はんちゅう》に入れることを拒否しました。

しかし、人情噺の代表作と言われる「文七元結」を、何度も演じ続けました。それは「文七元結」が、単なる「いい話」に留まらない「何か」を表現していると確信していたからでしょう。談志は、それを追求し続けました。そして、吾妻橋のシーンを見事に演じました。私は、談志の熱演を見るたびに、鳥肌が立ちます。人間の力を超えた何かが現れているように思えるからです。

自分はどうしようもない人間である。そう認識した人間にこそ、合理性を度外視した「一方的な贈与」や「利他心」が宿る。この逆説こそが、談志の追究した「業の肯定」ではないでしょうか。つまり、談志がつかもうとしたのは、人間の力を超えた「浄土の慈悲」であり、「仏の業」だったのではないでしょうか。

人間の本源的悪を凝視《ぎょうし》し続けた親鸞は、「消息集」の中で、次のように言っています。

原文

としごろ念仏して往生をねがうしるしには、もとあしかりしわがこころをもおもいかへして、とも同朋にもねんごろにこころのおわしましあわばこそ、世をいとうしるしにても候わめとこそおぼえ候え

現代語訳　数年来、弥陀の浄土に生まれようと念仏の生活をしてきた人は、自分がもともと仏とも法とも考えていなかった昔のことを思い返して、友達や同じ念仏の法につらなる朋友ともまごころを持って互いに親身になって接するようになること、これこそが本当に仏様の願いに生きようとする者の生き方ではないでしょうか。

人間は仏に照らされ、自己の愚かさに気づく。この「悪」の認識を持つことで、他者への「懇《ねんご》ろの心《こころ》」を抱くようになる。親身になって相手に接するようになる。仏の業に導かれた逆説の中に、利他的行為が発生する。親鸞は、そんな人間の摂理を見つめた人でした。自己がどうしようもない人間だという認識を持った人間こそが、他者に親身になることができる。世界を愛することができる。落語を抱きしめることができる。いや違います。私たちはその瞬間に、世界に抱きしめられるのです。そして、落語に抱きしめられている。

ここに現れるのが「いのち」への根源的な共感であり、そこにやって来るのが仏の慈悲です。他力に押されて行う行為こそが「利他」であり、そこにのちの幸福との因果関係は存在しません。それは因果の外部にある行為であり、理屈のつかない行為です。談志は、落語の極点を「イリュージョン」という言葉で説明しようとします。

イリュージョンというのは、毎度言うとおり、宇宙に群れあっている無数のモノやコト、生き物から、さっと一部だけを持ってきて、〝どうでい〟と示すものだ、という言い方もできる。［立川 2018a : 51］

例えば二〇〇七年のよみうりホールの「芝浜」。このとき、登場人物が「演者から離れて勝手に動き出した」と言います。It's automatic! これこそ、談志が落語に抱きしめられた瞬間だったのでしょう。

「利他」というのは、何か単独で「利他」という観念が成立しているわけではありません。大きな世界観の中で、無意識のうちに、不可抗力的に機能しているものです。重要なのは、「利他」が「利他」と認識されない次元の「利他」です。

長兵衛は、霧の吾妻橋で、そんなところに立っていたのだと思います。

引用文献

立川談志 1985 『「現代落語論」其二 あなたも落語家になれる』三一書房

1993 『立川談志独り会 第二巻』三一書房

2018a 『談志 最後の落語論』ちくま文庫

2018b 『談志 最後の根多帳』ちくま文庫

渡辺一史 2013 『こんな夜更けにバナナかよ——筋ジス・鹿野靖明とボランティアたち』文春文庫

第二章

やって来る

――与格の構造

ヒンディー語の与格構文

私は一九九四年に、大阪外国語大学に入学しました。この大学、今は大阪大学と合併し、大阪大学外国語学部になっています。

私が大阪外大で学んだのは、ヒンディー語という言語でした。ヒンディー語はインド中部から北部で話されている言葉で、今では約五億人の話者がいます。近年はテレビや映画の影響で、ヒンディー語を母語としないインド人でも、この言葉を理解できる人が増えています。

ヒンディー語は、日本語と語順が概ね同じであるため、日本人にとっては、比較的習得しやすい言語ではないかと思います。とはいえ、外国語です。日本語では一般的ではない文法や構文があり、使いこなすことができるまでには幾多《いくた》のハードルがあります。

中でも、初学者が必ず躓《つまず》く文法があります。「与格構文」というものです。

例えば、「私はうれしい」と言う場合、ヒンディー語では「私にうれしさが留《とど》まっている」という言い方をします。「風邪をひいた」も同様で、「私に風邪が留まっている」という言い方をします。この「〜に」で始める構文を「与格構文」と言います。

では、すべて「〜に」で始めればよいかというと、そうではありません。多くの場合は、日本語と同じように、主語を「〜は」「〜が」で表現します。「私は会社員です」「私がやります」など、「主格」を使う場合が大半です。

ややこしいですよね。

どんなときに主格（「〜は」）を使うべきで、どんなときに与格（「〜に」）を使うべきなのかの区別が、難しいのです。今でも間違えてしまうことが多々ありますが、勉強し始めたときには、かなり混乱しました。

では、ヒンディー語話者の間で、「主格」と「与格」の使い分けは、どのようにしてなされているのでしょうか。

文法書では、自分の意思や力が及ばない現象については、「与格」を使って表現すると書いてあります。この説明を読んで、「なるほど」と思いました。要は自分の行為や感情が、不可抗力によって作動する場合、ヒンディー語では「与格」を使うのです。

確かに、風邪をひこうと思ってひく人はいないでしょう。「うれしい」「悲しい」という感情も、私の意思によってコントロールしているわけではありません。自ずと湧き上がってくるものです。うれしくて思わず笑みがこぼれたり、憤《いきどお》りのあまり顔が真っ赤になったりするのは、統御できない行為ですよね。自分の意思を超えています。

学生時代、私が「なるほど」と思ったのが「愛」の表現でした。ヒンディー語では、「私はあなたを愛している」というように主格を使う場合もありますが、「私にあなたへの愛がやって来て留まっている」というように、与格を使う表現もあります。日本では一九六五年に「愛して愛して愛しちゃったのよ」という曲がヒットしましたが、この「愛しちゃったのよ」という表現は、ニュアンスが近いかもしれません。あなたのことを愛そうと思って愛したのではない。あなたへの愛がやって来たんだ。不可抗力なんだ。どうしようもないんだ。そんな愛の構造が言語に表れていて、何かカッコいい表現をするな、と思いました。

これは前章で論じたオートマティックの構造そのものです。自力を超えた力学です。

言葉はどこからやって来るのか?

大学院でインド政治を研究し始めた私は、インドに行って現地調査をするようになりました。二十代半ばから後半にかけてのことです。当然、日常的にヒンディー語を使うようになりました。

インドはイギリスに植民地支配されていたため、今でも英語がよく通じます。都市で一定の教育水準以上の人たちと付き合っていると、英語だけで事《こと》足りることがあります。しかし、私が調査の対象にしたのはスラムの住民や教育を十分に受けていない庶民層で、日常会話はすべてヒンディー語でした。日本人がヒンディー語を話すと、北インドの人たちは喜んでくれました。そんなとき、ヒンディー語を学んでよかったなと心から思いました。

しかし、時折、警戒されることもありました。特にエリート層への聞き取り調査を行う場合、いきなりヒンディー語で話しかけると、「なんだか怪しい奴だな」と驚かれ、不審がられてしまうことがあるのです。確かに、そうですよね。私たちだって、突然、外国人に日本語で声を掛けられ、話を聞かせてほしいと言われると、「この人、大丈夫かな？」「何かトラブルに巻き込まれるんじゃないかな」と構《かま》えますよね。実際、フィールドワークを始めたばかりの頃は、何度も失敗しました。

しばらくして、私は調査のテクニックを身につけました。相手が英語を使いこなすことのできるエリート層だとわかっているときは、最初からヒンディー語では話しかけず、まずは英語で話し始めるのです。そして、ある程度コミュニケーションがとれてから、ヒンディー語に切り替えます。すると相手が急にリラックスし、私に関心を持ってくれるのです。

「なぜ君はヒンディー語ができるのか？」と逆に質問をしてくれます。こうなると相手との距離は一気に近づき、調査が円滑に進みます。いくらインドの人たちが、英語ができるといっても、やはり母語で話すほうがストレスは少なく、気持ちもほぐれます。そして、何より目の前のヒンディー語を話す日本人のことが気になります。

「どこでヒンディー語を勉強したのか？」「インドで何をしているのか？」「調査って何の調査？」「インドのどこに住んでいるのか？」——。

私に興味を持ってもらえると、一歩踏み込んだ会話が始まります。親密な関係ができていき、それに伴って相手も率直にいろいろなことを話してくれます。

さて、英語からヒンディー語に言葉を切り替えるときです。急にヒンディー語を話し出した私に対して、相手は驚いた表情を見せ、尋ねます。「ヒンディー語ができるのか？」

このとき、インド人の多くは与格構文を使いました。直訳すると「あなたにヒンディー語がやって来て、留まっているのか？」となります。

こんなところでなぜ与格構文を使うのだろうかと、はじめは不思議に思いました。特定の言語を話すことが、なぜ「与格」なのか？

しかし、よく考えると非常に重要な思想がここに含まれているのではないかと思えてきました。

――言葉が私にやって来て留まっている。

だとすると、言葉はどこからやって来たのでしょうか？

それはおそらく過去であり、その先にある彼方《かなた》でしょう。インド人の感覚で言えば「神」ということになります。

私が言葉を所有しているのではない。言葉は私の能力ではない。私は言葉の器である。言葉は私に宿り、また次の世代に宿る。私がいなくなっても、言葉は器を変えて継承されていく。そんなふうに捉えられているのです。

このことを理解したとき、「与格」という文法構造が持つ深遠な思想に強く惹きつけられました。そして、ここに「主格」では捉えきれない利他の構造について、重要な示唆を与えてくれる存在論・認識論があるのではないかと思いました。

ラマヌジャンの数式

インド人の有名な数学者にラマヌジャンという人がいます。一八八七年に生まれ、一九二〇年に亡くなった人ですので、すでに没後百年が経過しています。

彼は「天才的なひらめき」を持った数学者と言われてきました。彼は毎日のように新しい数学結果をノートに記し、周囲を驚かせました。一九一六年に考え出した新しいゼータ関数は、一九九五年のフェルマー予測の解決という大定理に大きく貢献しました。現在では二十世紀を代表する大数学者と讃《たた》えられていますが、当時、彼の業績はなかなか評価されず、失意の中、三十二歳で短い生涯を終えました。

そんなラマヌジャンの生涯を描いたのが、映画「奇蹟がくれた数式」(原題はThe Man Who Knew Infinity) です。二〇一六年に公開され、日本でも話題になりました。

この映画は、ラマヌジャンの苦悩《くのう》を的確に描いています。彼は驚くべき数学的発見を、次々に提示しました。しかし、そこには「証明」というプロセスがありませんでした。中学校の数学で「証明問題」を習いましたよね。現代数学で重視されるのは、数式を導き出す論理的プロセスで、「証明」が認められてこそ、数学的価値を持つに至ります。ラマヌジャンは、この「証明」をとばして、一気に結論を提示しました。この方法が、数学界では認められませんでした。

彼の才能に目を付けた数学者ゴッドフレイ・ハロルド・ハーディは、ラマヌジャンをケンブリッジ大学に招きます。しかし、二人の関係はうまくいきません。ハーディは「証明」を求めます。「証明」のない数式は、現代数学の世界では認められないと迫ります。

しかし、ラマヌジャンはこれに納得しません。なぜならば、ラマヌジャンの方法は、現代数学の「証明」とは全く異なるものだったからです。

ラマヌジャンはどうやって数式を導き出していたのか？

彼は言います。

――「ナマギーリ女神が舌に数式を書いてくれる」

ナマギーリ女神とは、インドのタミルナード州で信仰される女神で、ヒンドゥー教のラクシュミーという女神のローカル版です。ラクシュミーは仏教に取り込まれ、吉祥天《きっしょうてん》として日本にも伝わっています。京都府にある浄瑠璃寺《じょうるりじ》の「吉祥天立像」は、美しい仏像としてよく知られています。

ラマヌジャンは貧しい家庭に育ちましたが、カーストはバラモンで、母親から熱心な宗教的教育を受けました。そのため彼の世界観は、ヒンドゥー教の教えと密着しています。彼が数学にのめり込んだのも、神への道につながっていると確信していたからでした。

私たち人間は、有限なる存在です。能力にも命にも限界があります。一方で超越者たる神は無限の存在であり、真理そのものです。有限なる人間は、いかにして無限なる存在に接近できるのか。その道筋は様々で、ある人は修行をし、ある人は儀礼を行います。経典を読むことに没入する人もいるでしょう。

ラマヌジャンにとっての方法は、数学でした。数式は、神の存在の現れであり、自らの信仰と切っても切れないものでした。彼の中では、数学は神の定理にアクセスする宗教的行為に他ならなかったのです。

ラマヌジャンは次のような体験を語っています。

ある日、眠っていると、突然、赤いスクリーンが現れました。よく見ると、それは流れる血でした。彼が目を凝《こ》らしていると、そこに手が現れ、何かを書き始めました。それは楕円積分（elliptic integrals）でした。彼は、画面に書かれたものを心にとどめ、目覚めてすぐに書き起こすことを誓います。そして、起床後、ペンを持って数式を書き出しました。

ラマヌジャンによる数式の「発見」は、このようなプロセスによって起きたのです。近代数学の「証明」とは、かけ離れていますよね。しかし、彼にとって、この方法こそが数学でした。

ケンブリッジ大学の数学者とラマヌジャンの対立は、主格と与格の対立だと私は考えています。近代数学の「証明」は、主格的です。「私が論理的に証明する」ことが、数式に意味を与えます。それに対して、ラマヌジャンの数式は、「私に神からやって来るもの」です。私という存在は、神から届くものを受け止める「器」にすぎません。神は夢の中に現れ、時に舌の上に数式を置いていきます。ラマヌジャンは、それを書き留《と》める媒介者です。

彼は言います。

――「神についての思索を表現しない方程式は、僕にとっては無価値だ」

「情緒」と「流れ」

このような与格的数学は、荒唐無稽《こうとうむけい》な存在なのでしょうか。私は、ラマヌジャンの方法にも、重要な数学の本質が含まれていると思います。

近代日本を代表する数学者・岡潔《おかきよし》は、「数学は情緒である」と言います。情緒は、与格的存在です。私たちの心に唐突《とうとつ》に現れ、全身を駆け巡ります。意思の外部によって湧き起こる感情であり、オートマティカルなものです。「異国情緒」や「下町情緒」といった言葉があるように、時に風景として現れたりもします。目の前を流れる景色が、私の心と呼応することで情緒が生まれる。情緒は器である私にやって来るものです。

数学者の加藤文元《ふみはる》は、「どういうわけかわからないが、とにかく数学と音楽は似ている」と言います［加藤 2013：10］。彼は音楽を聴きながら、突然、数式が頭に現れることがあると述べ、それが「論理」の構造とかかわっていると論じます。

数学と音楽が似ていると感じられる理由の一つとして、「論理」というものがいつも決まって「流れ」を構成する、そしてその流れとは優れて音楽的な流れとよく似たものであるということが挙げられる。その意味では、本来は数学だけでなく、およそ論理的な思考に依拠した学問はどれでも多かれ少なかれ音楽に似ているはずだ。ただ、数学においては論理性が特に強調されることから、よく音楽と比較されるということなのかもしれない。

「論理」は必ず「流れ」を伴って現れる。いや、それだけではなく、そもそも論理と流れとは同一のものだ。［加藤 2013：11］

ヒンドゥー教に、サラスワティーという女神が存在します。この神は学問や芸術、音楽をつかさどっており、仏教では「弁財天」として信仰されてきました。

サラスワティーは、『リグ・ヴェーダ』という聖典の中で「聖なるサラスワティー川の化身」として描かれています。北インドにプラヤーガラージ（旧イラーハーバード）という街があり、ここでガンジス川とヤムナ川という大河が合流するのですが、インドの人たちは目に見えないもう一つのサラスワティー川もここで一つになると捉えています。この合流地点は「サンガム」と言われ、信仰の場所になっており、多くの巡礼者が訪れます。

サラスワティーという神様は、「流れ」なのです。インドの人たちにとって、論理や芸術、音楽は、すべて「流れるもの」であり、同じ女神への信仰に帰結します。

次の絵（図1）を見てください。これはサラスワティーを描いたものですが、女神は水辺に座り、楽器を弾いています。この楽器はヴィーナという弦楽器で、ほかにも手には聖典『ヴェーダ』を持っています。

図1　女神サラスワティー

――流れは音楽であり、論理である。

数式は私が生み出すのではなく、私にやって来るもの。流れに身をゆだね、宿ったものを表現すること。それがラマヌジャンの数学でした。

この与格的方法を、近代は主格に置き換えていきました。すべて「私は」「私が」と表現することで、与格という人間のあり方が見えなくなってきたのです。

そして、主格の偏重は、与格的存在を「前近代的なもの」「怪しいもの」「正常ではないもの」として排他的に捉えるようになりました。この姿勢が、利他の構造が見えなくなってきたことと深くかかわっているのではないかと思います。

主格の近代は、一体何を排除してきたのでしょうか。

認知症と「幻」

私が「なるほど！」と思った一冊があります。樋口《ひぐち》直美さんが書いた『誤作動する脳』です。

樋口さんは、長年原因不明の症状で苦しんできたのですが、五十歳のときにレビー小体《しょうたい》型認知症と診断されました。これは脳の神経細胞内にレビー小体が蓄積することで発症する病気で、記憶障害や「幻視」「幻聴」などが起こるとされます。

樋口さんは、「匂いがわからない」と言います。レビー小体型認知症と診断された年、旅行先で家族が言った一言に衝撃を受けます。

――「わぁ〜、たまらない匂いだなぁ！」［樋口 2020：15］

その意味がわからず、あたりを見渡すと、鰻《うなぎ》屋さんが蒲焼《かばやき》を焼いていました。彼女はこのとき、自分の嗅覚が失われていることに気づきます。そして、これまで接してきた世界から、別の世界に入ってしまったことを自覚させられました。

樋口さんには、次々に「幻」が襲いかかってきます。

――幻視、幻聴、幻臭。

五感にかかわる幻覚は、唐突にやって来ます。

あるとき、樋口さんは音に乗っ取られるという体験をします。実家で父と会話していると、音楽を流しながら走る廃品回収車が通りました。「うるさい音だなと思った瞬間、脳がその音楽に乗っ取られてしまった」と言います。

何とかしてその音を排除しようとしても、言うことを聞いてくれません。脳は自分の意思を無視して、「その呑気《のんき》な音楽に食らいつい」てしまいます。そうすると、思考はシャットダウンし、会話不能状態に陥ってしまいました。もうどうすることもできません。

自分が意思の外部に乗っ取られてしまう。自分の意思でしたわけではないことが、次々と起こる。唐突に何かがやって来て、自分を支配する。これが樋口さんの脳に起きた「誤作動」です。

しかし、これは「病気」という一面だけでは捉えられない現象なのではないでしょうか。確かに医学的な観点からすれば、樋口さんは「レビー小体型認知症」を患っており、脳がうまく機能していない状態だということができます。しかし、脳は単独で存在しているのではありません。無数の感覚器官と連動しているからこそ、五感に影響が表れるわけです。脳が機能不全を起こすことで、五感が変化する。「幻」が現れる。これまで見えなかったものが見え、聞こえなかったものが聞こえる。これは「正常なものが失われた」というだけではなく、これまで制御されていた感覚が鋭くなる現象とも捉えることができるのではないでしょうか。

私には、樋口さんの状態は眠っていた与格が前景化しているように見えます。近代の人間は、主格によって「私」の存在を捉え、意思の外部からやって来るものを退けてきました。私の意思が、私の行為のすべてをコントロールしている。統御している。そんなふうに思い込んできました。

しかし、私たちの日常では、行為を意思に還元することで、問題がこじれてしまうことが多々あります。

謝罪の本質

例えば「謝罪」の場面です。

私が何か過《あやま》ちを犯し、相手を深く傷つけてしまったとしましょう。相手との関係を修復するためには謝らなければなりません。

このとき、何が重要か。

「謝っておかなければ状況が悪化する、だから謝る」という意思的行為として謝罪がなされた場合、相手は本当に納得するでしょうか。表面的には「わかった」と言って受け入れてくれるかもしれませんが、「この人、本当に謝っているんだろうか？」というモヤモヤが残るのだと思います。もっと率直に「この野郎！」と思い、不快になるかもしれません。

「謝っておいたほうがうまくいくから、とりあえず『すみません』と言っているだけだろう」と思うと、ムカムカしますよね。心から相手を許すという気持ちにはならないと思います。

私が「与格」という視点から考えてきたことを、哲学者の國分《こくぶん》功一郎さんは「中動態」という文法構造の問題として議論しています。彼は「謝罪」の問題に触れて、次のように言います。

> 相手に謝罪を求めたとき、その相手がどれだけ「私が悪かった」「すみません」「謝ります」「反省しています」と述べても、それだけで相手を許すことはできない。謝罪する気持ちが相手の心のなかに現れていなければ、それを謝罪として受け入れることはできない。
> （中略）たしかに私は「謝ります」と言う。しかし、実際には、私が謝るのではない。私のなかに、私の心のなかに、謝る気持ちが現れることこそが本質的なのである。〔國分 2017：19〕（傍点原著者）

大切なのは、謝罪の気持ちが湧いてくることです。「謝っておいたほうがうまくいく」という合理的な判断で謝罪をしても、本当の和解にはつながりません。「本当に悪かった」という思いが心の中に現れ、それが相手に伝わるとき、「許し」というモメントが生まれるのだと思います。

重要なのは、与格による謝罪です。真の感情は与格的に現れます。ヒンディー語では、「うれしい」も「悲しい」も与格です。感情は意思が所有しているのではない。これが与格の文法構造に現れた人間観です。

「幻」との付き合い方

樋口さんに現れる「幻」ですが、彼女は昔話がリアリティをもって迫ってくると言います。

なぜそうなったのか自分にもわからないことが、聴覚に限らずよく起こりました。そんなときは「狐にだまされている」という昔話の言葉がいちばんしっくりきます。

私の考えや気持ちを無視して、私の体が勝手にヘマをやらかすのです。

認知症のある方が、失敗を頑として認めないという話を聞くことがあります。自分に問題や責任があると思えない気持ちは、よくわかります。自分の意志でしたことではないのですから。［樋口 2020：30］

昔の人たちは不可解な現象を排除するのではなく、人間の理性を超えたものの働きとして捉えようとしました。昔話では、人間の賢《さか》しらな合理性のほうが「ズル賢いもの」として否定的に扱われ、人間の能力を超えた存在への畏敬の念が語られてきました。「それ」は恐れの対象でもあり、同時に吉祥をもたらしてくれる豊饒《ほうじょう》な存在です。昔話は、やって来る「不思議」といかに付き合っていくのかを示す文芸です。

樋口さんは、柳田国男の『遠野物語』にでてくる座敷童子《ざしきわらし》の話を「私の症状と似ている」と言います［樋口 2020：45］。

座敷童子とは、家の座敷や蔵に住む妖怪のことで、五歳前後の子どもの姿をしているといいます。座敷童子は悪戯《いたずら》好きとして知られ、住人のそばに唐突に現れて驚かせます。しかし、その存在は忌避《きひ》されるものではありません。座敷童子は「神」であり、その家に富や幸福をもたらすとされます。

――見えないはずのものが見える。そのことが福をもたらすとされる。「幻」が現れることは、何も異常なことではありません。むしろ、家族や周囲から喜ばれ、大切にされる存在でした。

樋口さんは言います。

「座敷童子だ！ 福の神が我が家にも来てくれた」と喜び合う社会はもうありません。狐も人に憑かなくなりました。人に見えないものを見、聞こえないものを聞くと、「患者」となり、抗精神病薬を処方されます［樋口 2020：49］

健康な人でも幻視は存在します。樋口さんは、天台宗の千日回峰行《せんにちかいほうぎょう》に言及します。これは比叡山の山中を一日四十八キロ、合計約千日間歩く苦行で、戦後に成し遂げたのはたった十四人しかいません。その体験者の語りを聞くと、途中で天狗《てんぐ》や狐が見えるようになると言います。ほかにも瞑想を行う人たちは、しばしば幻視や幻聴の体験を語ります。決して認知症の人たちに特有の「病気」とは言えません。人間に備わっている特性です。

私たちが見失っているのは、「幻」との付き合い方なのではないでしょうか。主格を偏重する近代では、意思の外部によってもたらされる与格的存在を否定的に扱ってきました。昔話は迷信とされ、宗教者の幻視は神秘体験と片付けられてきました。「幻」は「病」と捉えられ、その人を「患者」として社会から排除してきました。樋口さんの著書は、近代的人間観の正当性に一石を投じているように思います。

器としての私——志村ふくみの染色

——やって来るものを受けとめること。そこに身をゆだねること。

このような与格的主体のあり方は、多くの「名人」「職人」「達人」と言われる人たちによって、さりげなく語られてきました。彼ら・彼女らの多くは、技の極意《ごくい》を問われると、自己の能力を語るのではなく、「やってくる力」を語ります。

染色家で人間国宝の志村ふくみさんは、繰り返し「色をいただく」という言い方をします。彼女は『色を奏でる』の中で、次のように言います。

ある人が、こういう色を染めたいと思って、この草木とこの草木をかけ合わせてみたが、その色にならなかった、本にかいてあるとおりにしたのに、という。

私は順序が逆だと思う。草木がすでに抱いている色を私たちはいただくのであるから。どんな色が出るか、それは草木まかせである。ただ、私たちは草木のもっている色をできるだけ損なわずにこちら側に宿すのである。[志村 1998：16]

志村さんにとって、色は人間が作るものではありません。やって来るものです。染色家にできることは、「色をできるだけ損なわずにこちら側に宿す」ことです。「私」は、色が宿る「器」のような存在です。

志村さんは、同じ本の中で、「色」を「私のところへやってくる子供のようなものだ」と言います。確かに自分が仕事をし、それによって糸に色が現れます。しかし、それは「どこか一番根元のところではいただきもの」であり、「さずかりもの」です［志村 1998：168］。「私」は、色と糸の媒介にすぎません。

土井善晴の料理論

このような感覚は、染色の世界にとどまりません。料理家の土井善晴さんも同様のことを語っています。

土井さんは「おいしいもの」を人間が作るという考え方を否定します。「おいしさ」はやって来るものであり、「ご褒美《ほうび》」である。料理人は、素材と料理の媒介にすぎず、自然に沿いながら、それを整えることしかできない。そう語ります。

土井さんは、「一汁一菜《いちじゅういっさい》」という食事のあり方を提唱します。これは味噌汁のような「汁物一品」と漬物などの「惣菜一品」、それに「ご飯」という組み合わせでいいという考え方です。味噌汁の中には、季節の野菜などを入れます。そして、出汁《だし》をとらない。味付けは味噌のみで、野菜などの具材の味がそこに加わります。

土井さんは、次のように言っています。

まずは、人が手を加える以前の料理を、たくさん体験するべきですね。それが一汁一菜です。ご飯とみそ汁とつけもんが基本です。そこにあるおいしさは、人間業ではないのです。人の力ではおいしくすることのできない世界です。みそなどの発酵食品は微生物がおいしさをつくっています。ですから、みそ汁は濃くても、薄くても、熱くても、冷たくても全部おいしい。人間にはまずくすることさえできません。そういった毎日の要になる食生活が、感性を豊かにしてくれると、私は考えています。［土井 2020］

土井さんが目指す料理は「人間業ではない」料理です。人間にできることは限られている。大切なのは、自然の力を皿の上に宿すこと。そこに自ずと「おいしさ」が現れ、料理が完成する。「お料理を置いたら、盛り付けが終わったら、そこに人間が残ったらいけないんです。人間は、消えてなくならないといけない」［土井・中島 2020：28］

土井さんは味噌造りのマイスター・雲田實さんについて、次のように言っています。

「良き酒、良き味噌は人間が作るものではない、俺が作ったなどと思い上がる心は強く戒めなければならない」と口癖のように言う実直な人柄［土井 2016：182］

良い酒も、良い味噌も、人間の作為性によって作られるものではない。その「おいしさ」は宿るものです。だから、料理人が諫《いさ》めなければならないのは、「こんなおいしいものを作ったのは私だ」という思い上がりです。

民芸の与格性

志村さんと土井さんには、共通点があります。それは「民芸」のあり方に、決定的な影響を受けている点です。

民芸とは「民衆的工芸」の略で、柳宗悦《やなぎむねよし》を中心に河井寛次郎、濱田庄司らによって提唱されました。大正時代の終わり頃のことです。

民芸の重要性は、その与格性にあります。多くの芸術家は、美しい作品を作ろうとして、素材に向き合います。しかし、同じ形の日用品を作り続けている人は、美しいものを作ろうなんて、いちいち考えていません。毎日の仕事を丁寧に、そして淡々とこなします。

柳はここに計《はか》らいを超えた「用の美」が現れると言います。美しいものを作ろうとすると、作品は人間の賢しらな作為性にまみれ、美が逃げていきます。重要なのは、意思を超えたものが宿ること。美は作るのではなく、やって来るのです。

志村さんは、柳が『法と美』の中で「念仏が念仏す」と述べていることに触れ、次のように言っています。

柳先生はその中で、益子窯の「山水土瓶」の例をとって、ごく平凡な民器であるが、土瓶に山水を描く本人も、何を描き、どう描くかも忘れるほど手早く淀みなく何千回、何万回と描き続ける、そういう状態に入った時、描く事が描いているという、つまりおのずから仕事が仕事をしている、人間と仕事がいつのまにか一体になっているということをいわれているのである。〔志村 1998：172〕

人間が仕事と一体化すると、そこから人間の意思が消えていきます。すると、仕事が仕事をし始める。オートマティックに物事が動いていく。「美しいものを作ろう」という邪念を超えた「美」が宿る。この与格的構造こそが、柳の求めた「民芸」の精神であり、志村さんの色に対するアプローチです。

土井さんも同じく、民芸に大きな影響を受けています。土井さんは、若き日、一流の料理人になろうと考え、ヨーロッパに修業に行きます。そして、帰国後も、和食料理人として腕を磨き、ミシュランガイドに載るような料理店を構えることを夢見ます。

しかし、家庭料理の普及に尽力していた父・土井勝《まさる》から、料理学校を手伝うように言われました。当初は「なんで私が家庭料理をせなあかんの」と落胆し、悩み込んだと言います。しかし、ある出会いによって光が差し込みます。それは、京都にある河井寛次郎記念館との出会いでした。

民芸運動を推進した河井の作品・住まいに囲まれたとき、土井さんは「家庭料理は、民芸や」と思ったと言います。

日常の正しい暮らしに、おのずから美しいものが生まれてくるという民藝の心に触れたとき、「ああ、これって家庭料理と一緒や、家庭料理は民藝なんや」という確信が初めて持てた。そう捉えたら、「これはやりがいがある世界や」と思えるようになりました。[土井 2017a]

土井さんは、ここから大きな方向転換を経験します。「おいしいもの」や「美しいもの」を作ろうとしてはいけない。料理が料理するようにならなければならない。自分の計らいや意思が消え、黙々と仕事に没頭する。そうすると素材が自分に寄り添い、おいしいものが現れる。そんな民芸的料理を指向します。

おいしさや美しさを求めても逃げていくから、正直に、やるべきことをしっかり守って、淡々と仕事をする。すると結果的に、美しいものができあがる。［土井 2017b］

ここにも与格的な主体のあり方が、表現されています。

親鸞『教行信証』のスタイルが表すもの

私は、このような人間のあり方を見つめたのが、親鸞という宗教家だったと思っています。「自力」を徹底的に疑い、「他力」に促される「私」を見つめた親鸞は、常に与格構文で「私」を捉えていたのではないでしょうか。

これは親鸞の主著である『教行信証』のスタイルによく表れています。親鸞といえば『歎異抄』が真っ先に頭に浮かぶと思いますが、これは第一章でふれたように、親鸞が書いたものではありません。弟子の唯円が、親鸞の言行録として記したものです。親鸞本人が書いた主著は『教行信証』です。しかし、こちらはあまり広く読まれていません。なぜでしょうか？

それはこの本の読みにくさに要因があると思います。親鸞は鎌倉時代に生きた僧侶なので、古い日本語で書かれています。現代の私たちが読みにくく感じるのは当然です。しかし、この本は現代語訳になっても読みにくい。ページをめくる手が、どうしても止まってしまいます。

その原因は、引用の多さにあります。『教行信証』の本文の大半は、親鸞以前の仏典や仏教者の著述の引用で構成されています。そして、引用と引用の間に、親鸞自身の言葉が添えられています。まるで引用文同士の懸《か》け橋になるように。なので親鸞の書いた本を読んでいるというよりも、いろんな仏典の引用集を読んでいる気分になります。引用された仏典の時代背景はまちまちです。文体も統一されていません。本の流れをつかむことが難しく、どうしても引用が切り替わるたびに、突っ掛かってしまうのです。

このようなスタイルで、しかもかなり膨大な分量があるため、初学者は必ずと言っていいほど、躓きます。なかなか最後まで読み通すことができず、途中で挫折してしまうのです。何を隠そう、私も何度となく途中で挫折しました。

親鸞は比叡山の僧侶たちのエリート主義に背を向け、一般社会の中に入っていった人物です。そして、自己の罪深さに苦しむ庶民に、他力の教えを説いていった人です。親鸞の目の前にいたのは、文字を読むことのできない無学の人たちでした。そのような人たちに、日々、教えを説いた親鸞は、権威主義から最も遠くに立っていた僧侶です。現実の場面では、とても平易に教えを説いたはずです。現に、『歎異抄』に描かれている親鸞の姿は、とても親しみやすく、わかりやすい言葉で話をしています。なのに、なぜ『教行信証』は難しいのか。なぜ引用ばかりで構成されているのか。

それは、親鸞が「言葉の器」になろうとしていたからだと思います。親鸞にとって、『教行信証』を書く自分は、先人の言葉をつなぐ触媒《しょくばい》にすぎません。言葉は私のものではなく、私にやって来て留まっているもの。自分がオリジナルの何かを表現できるというのは、賢しらな自力に他なりません。言葉は常に過去からやって来るもの。そして、その背後にある浄土からやって来るもの。だから、『教行信証』は「言葉の器」になった自分を、そのままの形で表現するという方法がとられました。『教行信証』は、その内容以上に、そのスタイルが思想であるような書物です。

「今、いのちがあなたを生きている」

二〇一一年から一二年にかけて、浄土真宗の諸教団は、親鸞の「七五〇回大遠忌法要」を行いました。一連の行事は、東日本大震災と重なったため、大幅に縮小されて開催されましたが、この「法要」に向けて、数年前から様々な準備が積み重ねられていました。京都の東本願寺を本山とする浄土真宗大谷派は、このとき、テーマとして次のような言葉を掲げました。

――「今、いのちがあなたを生きている」

私は、特に大谷派の檀家《だんか》であるわけではありません。組織に属している人間ではありません。しかし、この言葉は、親鸞の世界観を表す素晴らしい言葉だと思っています。

私たちは通常、私がいのちを生きていると思っています。生きていることを、主格で捉えています。しかし、この言葉は、「いのち」の与格性を表現しています。私が「いのち」

を生きているのではない。「いのち」が私を生きている。私は「いのちの器」であって、「いのち」の所有者ではない。そんな与格的生命観が、言い表されています。

親鸞の他力思想は、与格的主体によって成立しています。浄土真宗では「如来の呼びかけ」という言葉がよく使われます。阿弥陀仏は、衆生を救済しようと、常に呼びかける存在です。問題は、その呼び声を聞くことができるかどうかです。自力を過信し、自分の能力で何でもできると考えると、私たちは阿弥陀仏の声に耳を澄まそうとしません。阿弥陀仏の声を聞くためには、自己の限界を見つめる謙虚な姿勢が必要で、そうしなければ私たちは他力に対して自己を開くことができません。

近代日本を代表する仏教者で、大谷派の僧侶だった高光大船《たかみつだいせん》は、次のように言っています。

> 聞こうとして聞こえる救済ではなく、己を投げ出すとき、聞こえてくる救済である。

仏の声を聞こうとすることは重要です。しかし、ここには聞こうとする計らいと自力が存在します。大切なのは、無力に立つことです。自力の限りを尽くした末、それでもなおどうにもならない場面に出会ったとき、私たちは決定的な無力を知ります。この「無力の場所」に立ち尽くしたとき、聞こえてくるのが仏の救済です。他力は常にやって来るもの。仏の声は「聞くもの」ではなく「聞こえてくるもの」。与格的な存在です。

「身が動く」

さて、ようやく本題の「利他」の話です。ここまで論じてきた与格の構造と、利他はどのようにかかわっているのでしょうか。

この問題を考える際、私がとても重要な一冊だと思っている本があります。木越康《きごしやすし》さんの『ボランティアは親鸞の教えに反するのか』です。木越さんは大谷派の僧侶で、宗門の大学である大谷大学の学長を務めています。

これまで見てきたように、親鸞の教えの中核には、自力に対する懐疑《かいぎ》的なまなざしがあります。そのため浄土真宗の門徒の中には、ボランティア活動に対して躊躇《ちゅうちょ》する人がいます。「これは自力の思想に基づいており、他力の思想に背《そむ》く行為なのではないか」という不安がよぎるのです。中には、積極的にボランティア活動に関与したことで、「親鸞の思想に反することを行っている」と批判されるケースがあるようです。
これに対して木越さんは、断固として反論します。

まず彼は、親鸞の教えに従うこととボランティア活動を行うことの因果関係を否定します。〈親鸞の教えを大切にする人間であれば、ボランティアを行わなければならない〉という規範を、彼は受け入れません。そして、「真宗だから積極的に支援活動に従事すべきである」という明確な動機が、私の中に「〈まずは〉ない」と言います［木越 2016：32］。

一方、「『真宗者だからボランティア活動に参加すべきではない』とする考えには、少しも賛成することができない」。そして、「『［…］ボランティア活動は自力であって、行くべきではない』という意見に対しては、明確に反対の立場を採りたい」と述べます［木越 2016：33］（傍点はすべて原著者）。

では、ボランティアの本質とは何か。

それは、活動の従事者たちが、しばしば「身が動く」という言葉を使うことにヒントがあると論じます［木越 2016：43］。

彼ら・彼女らは、災害などが起こると、何か考える前に身体が反応すると言います。ボランティアに行く意義や価値などを考える間もなく、まずは現場に駆け付け、すぐに活動に取り掛かる。これは「ボランティアに行く」という表現よりも、「ボランティアに行っちゃう」という表現のほうが近いかもしれません。

思い出してください。これは「愛して愛して愛しちゃったのよ」と同じ構造ですよね。私があなたを愛そうと思って愛したのではない。どうしようもなく愛しちゃった。愛は不可抗力であり、意思の外部からやって来るものです。ボランティアも、この「〜しちゃう」という構造によって起動しているものです。考える間もなく「身が動く」人たちは、この与格的な情動によって現場に駆け付け、活動を行っているのです。

木越さんは言います。

私はボランティアの起点を、良い意味でも悪い意味でも、まずは「情動」にあると考える。したがって「意義」などというものをそれに先行させて考えることは、まずは非ボランティア的であり、実際的ではないと思う。加えてより重要なのは、親鸞はボランティア的な活動に対して、そのように先行的に意義を考えようとする態度自体を否定しているということである。親鸞の場合、ボランティア的活動のみならず、他のすべての活動について、事前に意義を設定したい実践者の衝動を拒絶する。［木越 2016：v］

意義や意味はあらかじめ存在するものではありません。すべて事後的なものです。特定の意義を達成するために行為するのであれば、それはすべて「自力」になってしまい、「褒められたい」「認められたい」といった賢しらな計らいが、動機としてせり出してきます。

——褒められるためにボランティアを行う。

これは、その行為が利他的に見えても、本質は利己的です。最終的な目的は、現地の人たちを助けることではなく、その行為を通じて得られる承認にあります。これは利己的行為であって、利他ではありません。

木越さんは、親鸞の「宿業」という観念に言及します。そして、人間の行為がいかに非意図的になされているかに注目します。

ボランティアの人たちの「身が動く」という言葉は、「宿業として表現される人間の様態を、直覚的に表わしたもの」です。第一章で見たように、「業」とは仏からやって来る力です。この「仏業」が宿ったとき、私たちは「浄土の慈悲」の器になります。ここで行われるオートマティカルな行為こそ、利他的なものです。それはどうしようもないもの。あちら側からやって来る不可抗力です。

つまり、業の本質は与格的構造にあります。主格は、業という非意思的行為を退け、自己の行為を所有しようとします。それは利他の契機を排除し、行為を利己に還元してしまいます。利他が持つ豊かな可能性に蓋《ふた》をしてしまい、自己を利己の中に閉じ込めてしまいます。

与格的主体を取り戻す

第一章で紹介した落語「文七元結」を思い出してください。長兵衛はなぜ、吾妻橋で面識のない青年に五十両という大金を渡したのか。

重要なのは、長兵衛には五十両を出す合理的な理由がないことです。落語では、最終的に五十両は彼のもとに返ってきます。そして、それに伴って幸福が舞い込んできます。五十両を差し出し、青年を助けるという行為は、のちに長兵衛を利することになります。見事な直接互恵《ごけい》システムです。

しかし、吾妻橋の上の長兵衛は、未来を知りません。彼は、差し出した五十両が、いずれ自分に幸福をもたらしてくれるなどとは、思ってもみません。娘の自己犠牲によって得られた大金を手放してしまうことは、人生を立て直す契機を喪失することに他なりません。なのに、彼は「ふいに五十両を渡しちゃう」のです。身が動いてしまったのです。

「文七元結」の長兵衛の行為は、与格的です。その行為は、意思の外部によって引き起こされた「衝動」であり、「業」としか言いようのないものです。立川談志は、この長兵衛の非合理性に人間の豊かさを見出し、晩年までこの噺を演じ続けました。談志が追求した落語の本質は、人間の与格性なのだと私は思います。

――「ふいに」「ふと」「つい」「はたと」「やにわに」「たまさか」……。

日本語には、「思いがけなく起こること」を意味する言葉が、多く存在します。この語彙《ごい》の豊さが、利他的世界と密着していたのだと思います。

不二一元論《ふにいちげんろん》を説いたインドの宗教思想家・シャンカラは、人間には利他を行うことなどできないと言います。利他は、人間の意図的行為ではない。人間の中を神が通過するときに現れるものである。そう説きました。

利他的になるためには、器のような存在になり、与格的主体を取り戻すことが必要であると私は思います。数学者や職人のような「達人」は、与格的な境地に達した人たちであり、そこに現れた自力への懐疑こそ、利他の世界を開く第一歩ではないかと思います。

引用文献

加藤文元　2013　『数学の想像力――正しさの深層に何があるのか』筑摩選書
木越康　2016　『ボランティアは親鸞の教えに反するのか――他力理解の相克』法藏館
國分功一郎　2017　『中動態の世界――意志と責任の考古学』医学書院
志村ふくみ　1998　『色を奏でる』写真・井上隆雄、ちくま文庫
土井善晴　2016　『一汁一菜でよいという提案』グラフィック社
2017a　「『「うちの嫁が」と言う男性には違和感しかない』土井善晴さんが訴える、家の仕事の再認識」（ハフポスト二〇一七年三月二十四日）
2017b　「家庭料理のおおきな世界」（糸井重里との対談、「ほぼ日刊イトイ新聞」二〇一七年一月十日）
2020　「家食増えるいま聞きたい　土井善晴さんの『一汁一菜』」（朝日新聞デジタル二〇二〇年四月七日）

土井善晴・中島岳志　2020　『料理と利他』ミシマ社
樋口直美　2020　『誤作動する脳』医学書院

第三章

受け取ること

利他と利己のパラドクス

「利他」の反対語は「利己」とされています。「あの人は利己的だ」というと、自分のことばかり考えて、他者のことは顧《かえり》みない人を批判する言葉ですよね。これに対して、「あの人は利他的だ」というと、自分の利益を放棄して、他者のために尽くす人を称賛する言葉になります。なので「利他」の反対語は「利己」。そう認識されています。

確かに、表面的には「利他」と「利己」は対立しているように見えます。両者は真逆の観念で、一方は称賛され、一方は非難されます。

しかし、どうでしょうか。

例えば、ある人が「評価を得たい」「名誉を得たい」と考えて、利他的なことを行っていたとすると、その行為は純粋に「利他的」と言えるでしょうか？　行為自体は「利他的」だけれども、動機づけが「利己的」な場合、私たちはどのような思いを抱くでしょうか？

おそらく、そのような行為は、利己的だと見なされるでしょう。一見すると、利他的なことを行っているのですが、端々《はしばし》に「いい人だと思われたい」「称賛を得たい」というような下心《したごころ》が見え隠れしていると、やはりその人は「利己的な人」と見なされるのではないでしょうか。「あの人、褒められたいからやってるだけだよね」と思うと、途端に「利他的な行為」がうさん臭く見えますよね。その行為を「利他的で素晴らしい」と手放しで礼賛《らいさん》する気にはならないでしょう。

近年、大手企業は「社会的貢献」を重視し、様々な取り組みを行っています。例えばS《エス》DGs《ディージーズ》という言葉を、最近よく目にします。これは「持続可能な開発目標(Sustainable Development Goals)」のことで、貧困、紛争、気候変動、感染症のような地球規模の課題に対して、二〇三〇年までに達成すべき目標が設定されています。企業はこのSDGsにコミットしていることを強調し、自社の取り組みをアピールしています。

どうでしょう?

この取り組みを見ていて、「なんと利他的で素晴らしい企業なんだろう」と心を動かされるでしょうか。もちろんほとんどの取り組みは素晴らしい事業で、実際、大きな貢献を果たしていると思います。SDGsにかかわり、行動を起こすことはとても大切なことです。

しかし、どこかで「何かうさん臭いな」という気持ちを持ってしまうことはないでしょうか。結局のところ、企業のイメージアップのために「社会的貢献」を行っているだけで、それって企業の利潤追求の一環だよね、という冷めた見方を、私たちはどこか心の片隅に持っていないでしょうか。

正直なことを言うと、私はそう思ってしまいます。特に「社会的貢献」の成果を、ＣＭや広告でことさら強調されると、どうしても企業の「利己性」を感じてしまいます。

――「利他」と「利己」。

この両者は、反対語というよりも、どうもメビウスの輪のようにつながっているもののようです。

利他的なことを行っていても、動機づけが利己的であれば、「利己的」と見なされますし、逆に自分のために行っていたことが、自然と相手をケアすることにつながっていれば、それは「利他的」と見なされます。

「利他」と「利己」の複雑な関係を認識すると、途端に「利他」とは何かが、わからなくなってきます。

ありがたくない「利他」

「利他」の問題を考える際、私がとても重要だと考えている一冊があります。頭木弘樹《かしらぎひろき》さんの『食べることと出すこと』です。

頭木さんは、二十歳のときに潰瘍《かいよう》性大腸炎を患い、五十代になった今も、病気と付き合いながら生活しています。そのため、何でも食べられるわけではなく、「これを食べると激しい腹痛や下痢になる」というものがあります。

あるとき、頭木さんは仕事の打ち合わせで、食事をすることになりました。指定の店に行くと、すでにお勧めの料理が注文されており、頭木さんが選ぶことができない状態でした。注文された料理が出てくると、それは食べることができないものでした。

相手は「これおいしいですよ」と、頭木さんに勧めます。ちなみに、その人は頭木さんが難病を抱えており、食べることができないものがあることを知っています。頭木さんは「すみません。これはちょっと無理でして」と答え、食べられないものであることを伝えました。

相手は「ああそうですか。それは残念です」と答え、その場はいったん収まったものの、しばらくすると、また同じものを勧めてきました。「少しくらいなら大丈夫なんじゃないですか」と言って、食べることを促します。難病を抱える頭木さんにとって、その料理を口にすることは、いくら「少しくらい」であっても、大変な不調をきたすことにつながり、どうしてもできません。そのため、手を付けないままにしていると、周りの人まで「これ、おいしいですよ」とか「ちょっとだけ食べておけばいいじゃないですか」とか言いながら、同調圧力を強めてきます。その場は、気まずい雰囲気になり、結局、その相手からは仕事の依頼はなくなったと言います。［頭木 2020：112-114］

この相手の行為は、「利他」と「利己」の問題を考える際、重要な問題を含んでいます。確かに相手は、頭木さんに「おいしいものを食べさせたい」という利他的な思いがあったのでしょう。だから、自分で店を予約し、お勧めの料理を前もって注文するという手間のかかることを行ったわけです。

ただし、いくら他者のことを思って行ったことでも、その受け手にとって「ありがたくないこと」だったり、「迷惑なこと」だったりすることは、十分ありえます。実際、頭木さんにとって、食べられないものを食べるように勧められることは、迷惑どころか、場合によっては命の危険にさらされる危険な行為です。当然、受け入れることはできません。

しかし、相手の「お勧め」を断ると、場が気まずくなります。そして、自分の思いが受け入れられなかった相手は気分を害し、徐々に「利他」の中に潜《ひそ》んでいた「利己」を前衛化させていきます。頭木さんの病気を熟知している上、「食べられないものだ」ということを知らされても、時間が経つと「少しぐらい大丈夫なんじゃないですか」と言って、自己の行為を押し付けようとします。こうなると、「この料理を食べさせてあげたい」という「利他」が、「自分の思いを受け入れないなんて気に入らない」「何とかおいしいと言わせたい」という「利己」に覆《おお》いつくされ、頭木さんに襲いかかってきます。利他的押し付けは、頭木さんにとっては恐怖でしかありません。

利他が支配に変わるとき

このエピソードは、利他を考える際、大切なポイントをいくつも含んでいます。まず考えなければならないのは、「支配」という問題です。「利他」行為の中には、多くの場合、相手をコントロールしたいという欲望が含まれています。頭木さんに料理を勧めた人の場合、「自分がおいしいと思っているものを、頭木さんにも共有してほしい」という思いがあり、それを拒絶されると、「何とかおいしいと言わせたい」という支配欲が加速していきました。相手に共感を求める行為は、思ったような反応が得られない場合、自分の思いに服従させたいという欲望へと容易に転化することがあります。これが「利他」の中に含まれる「コントロール」や「支配」の欲望です。

ここでとても参考になる古典があります。マルセル・モースが一九二五年に出版した『贈与論』です。

この本は、文化人類学の見地から資本主義的交換とは異なる「贈与」という行為について、その意味を探究したものです。モースが『贈与論』を着想した背景には、第一次世界大戦（一九一四年─一九一八年）とスペイン風邪の流行（一九一八年─一九二〇年）があったと考えられます。

モースは、資本主義経済の限界にぶつかり、それとは異なる経済のあり方を模索しました。この本の最終章では、協同組合の可能性が追究されていますが、『贈与論』がスペイン風邪後の世界のあり方を模索するアクチュアルな本であったことに注目する必要があります。「ポストコロナ」という課題に向き合う私たちにとって、モースの百年前の問いは、とても参考になります。

モースは古今東西、様々な贈与体系・慣習を比較することで、その価値を再評価したのですが、『贈与論』は手放しの「贈与礼賛論」ではありません。むしろ、贈与の持っている危険な側面も、同時に追究している点が重要です。

モースは、『贈与論』出版の前年に「ギフト、ギフト」という論文を書いています。彼は冒頭で次のように述べます。

さまざまなゲルマン語系の言語で、ギフト（gift）という一つの単語が「贈り物」という意味と「毒」という意味と、二つの意味を分岐してもつようになった。［モース 2014：37］

ん？　何気ない一文ですが、とても物騒《ぶっそう》なことが書かれていますよね。「ギフト」という単語には二つの意味があり、一つは「贈り物」、そしてもう一つは「毒」だと述べられています。

「贈り物」は、一般的に相手に対する好意に基づいて行われると思われています。実際、私たちも、誰かに「贈り物」をする際には、「喜んでくれるかな」とか、「めでたいのでお祝いをしたい」とか、思いますよね。

しかし、この「贈り物」の中には、時に「毒」が含まれていると、モースは指摘します。

一体、どういうことでしょうか？

給付を与えたのに、それへのお返しがあらかじめ規定された方式（法的方式であれ経済的方式であれ、あるいは儀礼的方式であれ）によってなされないならば、給付の与え手はもう一方に対して優位に立つことになるのだ。［モース 2014：43］

私たちは「贈り物」をもらったとき、どういう気持ちになるでしょうか。まずは、「うれしい」という感情が湧き上がり、相手に対する感謝の念が湧き起こると思います。心から「ありがとう」と思い、涙が流れることもあります。

しかし、少し時間が経つと別の感情が湧いてくることになります。

――「とてもいいものをもらったのだから、お返しをしないといけない」。

今度は自分があげる番だ。もらったものに匹敵するものを「返礼」として渡さないといけない。そんな思いに駆られるのではないでしょうか。

これは結構なプレッシャーです。

今はインターネットという便利なものがあり、もらったものの価値や値段が、検索すればすぐにわかってしまいます。

例えば、もらったものが、一万円で売られているものだとわかったとしましょう。この瞬間、二つの引き裂かれた感情が湧き上がるのではないでしょうか。それは「えっ！　そんなに高価ないいものをくれたんだ」といううれしさと、「そんな高価なものをもらったんだから、自分も高価なものを返さなくてはいけない」というプレッシャーです。この両方が同時に押し寄せてくるだろうと思います。

もし、自分に金銭的余裕がなく、十分なお返しができない場合、プレッシャーはさらに大きなものになります。そして、実際にお返しを渡すことができないでいると、自分の中で「負い目」が増大していきます。本当はプレゼントとしてもらったのに、なぜかそれが「負債」のような感覚になり、心の錘《おもり》になっていったりします。

ここで、この両者の間に何が起きているのでしょうか？

それは与えた側がもらった側に対して「優位に立つ」という現象です。もらった側が、十分な返礼ができないでいると、両者の間には「負債感」に基づく優劣関係が生じ、徐々に上下関係ができていきます。これが「ギフト」の「毒」です。

この「毒」は、溜まれば溜まるほど、相手を支配し、コントロールする道具になっていきます。「贈与」や「利他」の中には、支配という「毒」が含まれていることがあり、これが「利他」と「利己」のメビウスの輪となっています。自分の思い通りに相手をコントロールしようとする「ギフト」は、「利他」の仮面をかぶった「利己」ですよね。

ポトラッチがもたらすもの

モースは、支配としての贈与の典型例を、北アメリカの先住民の「ポトラッチ」に見ます。ポトラッチとはチヌーク族の言葉で「贈答」を意味し、祝宴に招いた人たちに対して、お返しができないほどの贈り物を渡す儀礼を指します。ポトラッチでは、時に大切な毛布を燃やしたり、銅製品を粉々に破壊したりします。そして、主催者とその親族は、気前のよさを最大限に発揮して、その地位を誇ります。

これは後継者の披露、結婚、葬礼などのときに行われ、周囲の別の社会集団が客として招かれます。主催者にとっては、自分たちの寛大さを誇示する儀礼なのですが、大量の贈答物をもらった社会集団は、どういう状態に置かれるでしょうか？

――「こんなにもらったら、返せない」。

この「ギフト」には、明らかに「毒」が含まれています。主催者は、贈り物を与えていると同時に、相手に「負債感」を付与しています。いっぱいもらってしまったことの「負い目」こそが相手に与えられており、この作用を通じて、相手集団よりも優位な地位を獲得するという意図が含まれています。

もらった側は、いずれ子孫を含めて返済しなければならないと考えます。そのため、何かの機会に盛大な祝宴を開いて答礼しようとします。しかし、答礼が十分でない場合には、相手の奴隷身分に落とされることもあり、服従を余儀なくされます。まさに「贈与」が持つ支配／被支配の論理ですね。

ちなみにポトラッチは、世俗的な権力獲得のためだけに行われている儀礼ではありません。彼らが大切なものを破壊するのは、モノの真の所有者である神々への捧げ物という認識があり、儀礼全体が超越的なものへの供犠《くぎ》という側面を持っているからです。

ポトラッチには世俗性と超越性が混在しており、儀礼の解釈は様々になされていますが、ここでは「贈与」「利他」に含まれる支配の構造を確認しておきたいと思います。

「統御」ではなく「沿うこと」

このような「支配」や「統御」の問題は、利他と深くかかわるケアの場面で先鋭化するように思います。

例えば、認知症患者のケアについて、考えてみたいと思います。

認知症の人たちは判断力や記憶力の低下から、時に思いもしない行動を起こすことがあります。事故の危険性につながる行動があったり、徘徊《はいかい》をして帰ってくることができなくなったりするケースがあります。

そんな場合、時に「身体拘束」が行われます。ひもや抑制帯、ミトンなどの道具を使用してベッドに縛ったり、向精神薬を飲ませて動けなくしたりすることがあります。また、徘徊防止のために、部屋から出ようとするとブザーがなるというようなケースも「身体拘束」と見なされることがあります。

二〇〇〇年四月に施行された介護保険法では、介護施設での身体拘束は原則禁止とされています。しかし、拘束をしなければ本人の安全が守れないと判断された場合には、必要最低限の身体拘束が認められています。「切迫性」「非代替性」「一時性」の三点が要件とされていますが、基準は明確なものではなく、施設運営の効率化という側面から、身体拘束が採用されているケースがあります。

これはケアの中に「統御」が介在するもので、認知症患者にとっては、「支配されている」「服従させられている」という感覚になり、症状の悪化を引き起こす可能性があります。もちろん施設の事情もあり、苦渋《くじゅう》の決断という側面もあると思いますが、人間の尊厳を損ねてしまうことは否めません。

一方、異なるアプローチで認知症の人たちのケアを実践している人たちがいます。私が注目しているのは「注文をまちがえる料理店」という活動を行っている人たちです。これは認知症の人たちがホールスタッフを務める期間限定のレストランで、注文していない料理が出てきても、客側がそれを受け入れることで成り立っています。認知症の人たちは、労働による賃金を得ることができ、客側は間違いに寛容であることの大切さを学びます。

私の研究室の卒業生に、蔭久孝統さんという人がいます。彼は修士論文で「注文をまちがえる料理店」に注目し、「認知症ケアと社会的包摂――注文をまちがえる料理店の事例から――」という論文を書きました。この論文が素晴らしいので、少しご紹介したいと思います。

蔭久さんは、「注文をまちがえる料理店」のコンセプトを一部取り入れて運営されている「ちばる食堂」（愛知県岡崎市）に注目します。ここは常設の飲食店として、認知症と診断された高齢者と雇用関係を結んでおり、調査時には男女各二名の計四名がホールスタッフとして勤務していました。

ホールを任された認知症の人たちは、あくまでも注文を間違えないように仕事をします。「ちばる食堂」は、福祉目的で運営されている食堂ではなく、ごく一般的な沖縄料理店として運営されています。そのため、客の多くは入店するまで、この店の特徴を知りません。お店のメニューに書いてある注意書きと働いている人の姿を見て、そのことを知ります。

「ちばる食堂」の経営者で、厨房で料理を作る市川貴章《たかあき》さんは、四人の従業員について、次のように述べています。

認知症と診断されても、認知症と診断されていなくても『働く能力』は一緒だということがこの一年で分かりましたと、共にこれまでの経験がちゃんと出るんだなということもよく分かります

カラオケ喫茶を営んでいたBさん（女性、仮名）は
昔の経験から接客から皿洗いなどチャキチャキと働けますが
サラリーマンだったCさん（男性、仮名）は家事をあまりしてこなかったのか
少し苦手ですが、箸袋に箸を入れたり作業的なことはとても得意です
水を出したりすることは忘れちゃうけど、注文をとることは忘れません
若干の人見知りで、積極的には話しませんがとてもユニークな人です
逆にAさん（男性、仮名）は、積極的に若い女の子をめがけて話に行き、その席から
離れない積極性がありますが、注文をとるのがちょっと苦手です
お客さんには、エプロンのポッケに入ってる注文表をもつけてもらい書いてもらえる
と助かります
Dさん（女性、仮名）は、皿洗いさせたら食洗機より早く丁寧に洗います
長年やって来たんだなぁってことが分かる
一番見てて面白いのは、13時くらいになると僕の顔と時計を交互に見る時が来て。あ
えて『どうしたの？』って聞くと
『お腹がペコペコ』です！って笑顔でいうから

（中略）

特別な何かをするわけでなくて

その人を知り、その人が一番本領発揮できる場面にいれるようにする。

あとは、僕は麺を茹でるだけ（「kaigo ブログ」二〇二〇年三月十三日、原文ママ）

市川さんは、東海テレビの取材の中で、「介護をしないのが本当の介護だと思って」いると述べ、自分はできるだけ厨房から出ず、「後はお客さんに手伝ってもらえれば、それでいいのかなと思っている」と語っています。

市川さんのケアは、「統御」ではなく「沿うこと」に主眼が置かれています。それぞれの人が持っている能力を引き出し、主体性が喚起《かんき》されることが目指されています。

論文を書いた蔭久さんは、認知症のホールスタッフの人たちが、自分の仕事に誇りを持ち、店を支える一員としての矜持《きようじ》を持っていることに注目します。そして、その姿勢が、間違いに寛容な店内のあり方を醸成《じようせい》していると論じています。

認知症と診断されると、周りの人や介護従事者は、認知症の人たちに「何もしないこと」を強要してしまいがちです。仕事をすることから遠ざけ、掃除や洗濯、食事など日常生活にかかわることも、何でもやってあげる。それが「ケア」だと思われてきた側面がありま す。これに対して「ちばる食堂」では、間違いに寛容な社会を形成することで、認知症の人たちも尊厳を持って働くことができる環境を整えようとしています。そのことで、当事者が持っているポテンシャル（潜在能力）を引き出す。その人の特質やあり方に「沿う」ことで、「介護しない介護」が成立する場所を作ろうとしています。

「NHKのど自慢」の伴奏

「ちばる食堂」のあり方を見ていて想起したテレビ番組があります。「NHKのど自慢」です。

「のど自慢」には、時折、音程がむちゃくちゃで、リズムも一定しない高齢者が登場します。歌はお世辞にも「うまい」とは言えないのですが、とても気持ちよさそうに歌っており、その人の個性が垣間《かいま》見えて、ほっこりした気持ちにさせられます。会場も盛り上がり、「不合格」の鐘がなっても、温かい笑い声と大きな拍手が起こります。「のど自慢」の名物的なシーンですよね。

この場面の主役は、もちろん歌っている高齢者なのですが、私は伴奏をしているバンドのミュージシャンたちこそが、本当の主役なのではないかと思っています。

バック・ミュージシャンたちは、歌い手を支配しようとしません。リズムが狂っていると、矯正《きょうせい》するような演奏をするのではなく、その人のリズムに合わせます。音程がおかしくなっていると、少し音量を下げる。イントロも、早く歌い始めてしまうと、その歌詞の部分を瞬時に追いかけて演奏します。

このような「沿う」伴奏によって、歌い手の個性が引き出され、見ている側が温かい気持ちになります。これこそが利他的な演奏なのだと、私は思います。

利他は時に目立たないものです。しかし、誰かが活躍し、個性が輝いているときには、必ずその輝きを引き出した人がいます。利他において重要なのは、「支配」や「統御」から距離を取りつつ、相手の個性に「沿う」ことで、主体性や潜在能力を引き出すあり方なのではないかと思います。

これは自然との付き合い方も、同様なのではないかと思います。前章で取り上げた料理家の土井善晴さんは、調味料によって味をコントロールしようとする料理ではなく、素材のおいしさを引き出す料理を提唱しています。

素材の状態は、天候や収穫からの日数などに大きく左右され、同じ野菜でも、毎日同じではありません。土井さんは素材を手に取って確かめ、その状態に沿った料理を手掛けます。避けるべきは「力づくの料理」。だから、土井さんはレシピを重視しません。レシピは、素材の状態に関係なく、平均化され計量化された数値が示されています。これを素材に強制してしまうと、自然が持っているおいしさが損なわれ、調味料の味に支配されてしまいます。

「ありがた迷惑」の構造

さて、頭木さんのエピソードに戻りたいと思います。

頭木さんの悲劇は、レストランで出てきた「お勧めの料理」が、食べられないものだったことによって生じたものでした。

さて、です。

もしこれが食べられるもので、頭木さんが「おいしい!」と感激していたら、どうなっていたでしょう。その場は和気あいあいとしたものになり、相手と頭木さんの関係も良好に推移したかもしれません。頭木さんも「あんなおいしいものを紹介してもらえて、本当にありがたい」と思ったかもしれません。その場合、相手の行為は「利他的なもの」と捉えられ、感謝の対象となったでしょう。

しかし、この場合、「お勧めの料理」は、残念ながら頭木さんの食べられないものでした。そのため、相手の行為は「利他」の方向へと流れていかず、むしろ「利己」的側面が際立つ結果になりました。

ここから見えてくるのは、特定の行為が利他的になるか否かは、事後的にしかわからないということです。いくら相手のことを思ってやったことでも、それが相手にとって「利他的」であるかはわかりません。与え手が「利他」だと思った行為であっても、受け手にとってネガティブな行為であれば、それは「利他」とは言えません。むしろ、暴力的なことになる可能性もあります。いわゆる「ありがた迷惑」というものですね。

つまり、「利他」は与えたときに発生するのではなく、それが受け取られたときにこそ発生するのです。自分の行為の結果は、所有できません。あらゆる未来は不確実です。そのため、「与え手」の側は、その行為が利他的であるか否かを決定することができません。あくまでも、その行為が「利他的なもの」として受け取られたときにこそ、「利他」が生まれるのです。

あのときの一言

私たちは「与えること」が利他だと思い込んでいます。だから「何かいいことをしよう」として、時に相手を傷つけてしまうのです。これが利他の持つ「支配」や「統御」という問題ですね。

利他が起動するのは「与えるとき」ではなく「受け取るとき」です。これは重要なポイントです。

では、「利他を受け取る」とはどのような状態なのでしょうか。

わかりやすいのはプレゼントをもらって「うれしい」と感じるときです。相手が自分のことを大切に思ってくれているとわかり、ジーンとなることがありますが、これは贈与の受け取りが成功していますよね。

ただし、先にも述べたように、少し時間が経つと、この贈与は負債感につながることがあります。自分も相手に同じぐらい価値のあるものを返さなければならないと思い、それができないでいると「負い目」を感じて、相手との関係がおかしくなってしまうことがあります。場合によっては、「与えた人」と「受け取った人」の間に優劣関係が生じ、時に支配／被支配の関係を構築してしまいます。これは問題ですよね。

「ちばる食堂」や「ＮＨＫのど自慢」で見たように、利他は相手の個性に沿い、ポテンシャルが引き出されたときにこそ生まれるという構造があります。だとすれば、私たちが「受け手」となって利他が起動するのは、相手の行為によって自己の能力が引き出され、主体性が喚起されたと感じたときではないでしょうか。

私は年齢を重ねてから、中学校時代の先生のことを思い出して、「あのときの先生のおかげで、今の自分があるのではないか」と思い、感謝の念が湧いてくることがありました。

中学一年生になったばかりの頃、私は上級生とけんかをし、相手を思いっきり殴ってしまいました。私にはけんかに至ったプロセスに言い分がありました。相手の上級生は、当時流行っていた漫画（『聖闘士星矢《せいんとせいや》』）の戦闘シーンを再現するために、下級生の私に暴力的な「技」をかけてきました。はじめは遊び半分でじゃれあっている感じでしたが、次第に、相手の力が強くなり、私が「痛い！」と言ってもやめてくれなくなりました。

何度も「やめてほしい」と言ってもやめようとしない相手に対して、私はカッとなり、思いっきり殴りつけました。さらに、倒れた上級生に馬乗りになり、殴りました。すぐに周りにいた同級生が止めに入ってくれたおかげで、大けがを負わせるような惨事《さんじ》にはなりませんでしたが、上級生の顔は腫《は》れてしまいました。

そのとき、私は担任の先生に呼び出され、みんなの前でこっぴどく叱られました。私はうつむいてうなだれるしかなく、相手に頭を下げて謝りました。あまりにも悔しくて、目から涙がこぼれました。

その直後、先生は私を別室に連れていきました。そして、私にやさしく言いました。「中島君の言い分はよくわかる。発端は上級生に非があることは明らかだ。しかし、相手を殴ってはいけない。相手を振り払ったうえで、なぜ自分は嫌なのかを説明し、やめるように説得しなければならない。周りの上級生や同級生に合意を求めることもしなければならない。中島君の正義感はよくわかる。しかし、暴力で解決してはいけない。言論によって解決しなければならない。君はしっかりと勉強をして、知性によって解決できる方法を身につけなさい」

先生は私の特質をよく見てくれていたのか、部活は体育系に入るのをやめて、「社会科部」という文科系のクラブに入るよう勧めました。このクラブは部員がおらず、休部状態になっていたのですが、顧問はこの先生でした。私は言われるまま「社会科部」に入部し、部長として活動を始めました。私は大阪生まれの大阪育ちで、当時は大阪市内の中学校に通っていました。そのため、大阪の歴史に関心を持ち、史跡などを訪ね歩くようになりました。中でも、古墳への関心が強く、夏休みの自由研究として、原稿用紙百枚ほどの原稿を書いたりしました。

私が関心を持ったのは、前方後円墳のような巨大古墳ではなく、古墳時代後期に盛《さか》んに造られた群集墳というものでした。これは狭い範囲に小さな古墳が密集しているもので、大阪東部の山の傾斜地に多く存在していました。私は休みの日になると、一人でこの古墳を見に出かけ、ひたすら古代人の死生観について考えを巡らせました。かなり変わった中学生ですよね。

その後、私の古墳ブームは受験勉強と共に過ぎ去り、「社会科部」の記憶も薄れていたのですが、大学院に入り研究者を目指して調査をしていた頃、ふと中学校の先生のことを思い出しました。

私が歴史上の重要な場所を歩き回り、調査を重ねるスタイルの原点は、明らかに中学校時代の「社会科部」にあり、そのきっかけは、先生からの「一言」にある。私の潜在的なものを引き出してくれたのは、あの先生だったんだ。そのことに思い至り、先生に対して感謝の念がふつふつと湧いてきました。

――「君はしっかりと勉強をして、知性によって解決できる方法を身につけなさい」

粗暴な中学生の私に、よく言ってくださったと思います。今から振り返ると、このときの「一言」が、研究者として文章を書くことになる私の原点だと思います。本当にありがたいと思っています。

しかし、私は先生が言ってくれたことを、中学生のときはちゃんと受け取ることはできていませんでした。言われたことの意味をしっかりと理解できておらず、先生に言われるままに「社会科部」に入っただけのことでした。しかし、そのことが私の道をひらいてくれました。そして今の自分がいます。

先生のメッセージをしっかりと受け取ることができたのは、ずいぶんと時間が経ってからのことでした。先生の言ってくれたことの大切な意味に気づくまでには、長い時間がかかりました。

受け取ることで起動する利他

さて、私をめぐって起きた「あのときの一言」の構造を考えてみたいと思います。

私が先生の「一言」を、しっかりと受け取ることができたのは、十年以上経ってからのことでした。先生が言葉を発した時点では、私は言葉を受け取り損ねています。先生に言われたことよりも、みんなの前で叱責されたことのほうが悔しく、嫌な思い出として残っていました。

しかし、先生の一言は、無意識のまま自分の心の中に沈殿《ちんでん》していきました。そして、私の未来を切りひらいてくれました。

先生は私の恩人です。先生の一言は、私にとって「利他的なもの」に他なりません。しかし、そのことに気づいたのは、言葉が発せられたときではなく、それから長い年月を経たあとでした。

つまり、受け手が相手の行為を「利他」として認識するのは、その言葉のありがたさに気づいたときであり、発信と受信の間には長いタイムラグがあります。ここに「利他」をめぐる重要なポイントがあります。

「利他」は、受け取られたときに発動する。この原理は、次のように言い換えることができます。

――私たちは他者の行為や言葉を受け取ることで、相手を利他の主体に押し上げることができる。

私たちは、与えることによって利他を生み出すのではなく、受け取ることで利他を生み出します。そして、利他となる種は、すでに過去に発信されています。私たちは、そのことに気づいていません。しかし、何かをきっかけに「あのときの一言」「あのときの行為」の利他性に気づくことがあります。私たちは、ここで発信されていたものを受信します。そのときこそ、利他が起動する瞬間です。発信と受信の間には、時間的な隔たりが存在します。

私は時を経て、大学の教員になりました。教員人生ももう少しで二十年になろうとしています。

この間、いろいろな学生に出会い、学びを共にしてきました。そして、多くの学生たちが、様々な分野で活躍してくれています。教員は、卒業生の活躍を見るのが一番の幸せです。これは、教員になって初めてわかったことでした。

卒業生と久しぶりに会うと、時折、思いがけない言葉に出くわします。卒業生に「あのとき、先生が言ってくれたことが、自分の人生をひらいてくれました」と言われることがあるのです。

私は多くの場合、「えっ」と言い、キツネにつままれたような表情になってしまいます。なぜかというと、私は自分の言った言葉を、ほとんどの場合、覚えていないからです。「私、そんなこと言ったっけ」と言うと、「言いましたよ。覚えてないんですか」と呆《あき》れられ、苦笑いされます。自分の記憶力の悪さに反省するしかないのですが、私としてはあまりにも日常の何気ない一言のため、記憶に残っていないというのが正確なところです。私の一言は、発信者の思いや意図を超えて受け取られているのです。

このとき、私は卒業生に、率直に「ありがとう」と言うようにしています。なぜならば、私は彼ら・彼女らの受信によって、利他の主体に押し上げてもらっているからです。私の言ったことは、大した内容ではありません。しかし、卒業生はその言葉を言葉以上のものに昇華《しょうか》し、自分の人生を切りひらいています。そして、時間が経って成熟したとき、その言葉を彼ら・彼女らの活躍と共に、私に返してくれます。

利他の構造においては、「発すること」よりも「受け取ること」のほうが、積極的な意味を持つのです。

——自己が受け手になること。そのことによって、利他を生み出すこと。

これは前章で論じた「与格」の構造と通じています。受け手にとって大切なのは、「気づく」ことです。私たちには、過去から多くの言葉や行為がやって来ます。しかし、残念ながら、そのほとんどを見逃《みのが》し、つかみ損ねています。しかし、何かがきっかけで、ふと「あのときの一言」に気づかされたとき、言葉や行為が受信され、利他が起動します。

哲学者の近内悠太《ちかうちゆうた》は、贈与について「被贈与の気づきこそがすべての始まりなのです」と述べています［近内 2020：41］。まさにその通りだと思います。「被贈与の気づき」こそが贈与の始まりであるという構造は、利他と全く同じだと言えます。

弔いと利他

ここでようやく利他の時制が見えてきます。

繰り返しになりますが、自分の行為が利他的であるかどうかは、不確かな未来によって規定されています。自分の行為の結果を所有することはできず、利他は事後的なものとして起動します。

つまり、発信者にとって、利他は未来からやって来るものです。行為をなした時点では、それが利他なのか否かは、まだわかりません。大切なことは、その行為がポジティブに受け取られることであり、発信者を利他の主体にするのは、どこまでも、受け手の側であるということです。この意味において、私たちは利他的なことを行うことができません。

一方、受け手側にとっては、時制は反転します。「あのときの一言」のように、利他は過去からやって来ます。当然ですよね。現在は、過去の未来だからです。

発信者にとって、利他は未来からやって来るものであり、受信者にとっては、過去からやって来るもの。これが利他の時制です。

すると、私たちはあることに気づかされます。

それは「利他の発信者」が、場合によってはすでに亡くなっており、この世にはいないということです。

私に「知性によって解決できる方法を身につけなさい」と言ってくれた先生は、私の在校時に定年になり、その後亡くなったと聞きました。私は直接、先生に「あのときの一言」のお礼を言うことができていません。

二十歳以降の私は、保守思想家の西部邁《にしべすすむ》先生に多大なる影響を受けました。三十代以降は直接、お話をお伺いする機会ができ、多くのことを学びました。私にとって、西部先生の存在は決定的なものでした。しかし、西部先生は二〇一八年一月に亡くなりました。もう、直接お会いすることはできません。

よく考えてみると、私たちの日常は、多くの無名の死者たちによって支えられています。私の勤務先の東京工業大学は、一八八一年に東京職工学校として開校しました。創立からすでに百四十年の時が経っています。授業を行っている本館校舎は一九三四年竣工で、登録有形文化財に指定されています。私の勤務先を創設し、その基礎を作った人たちは、すでに鬼籍《きせき》に入っています。

通勤に使う東急電鉄・大岡山駅も開業は一九二三年。駅前の道路も、大学キャンパス内の桜並木も、すべて亡き先人たちの賜物《たまもの》です。

――利他は死者たちからやって来る。

私たちは、そのことに気づき、その受け手となることで、利他を起動させることができます。つまり、死者を「弔《とむら》う」ことこそが、世界を利他で包むことになるのです。

私たちは、死者と出会い直さなければなりません。そして、その存在や行為、言葉の上に私たちが暮らしていることを自覚しなければなりません。

死者と対話し、自己の被贈与性に思いを巡らせるとき、そこに「弔い」が生じ、「利他」が起動します。私たちは死者たちの発信を受け取り、まだ見ぬ未来の他者に向けて、発信しなければなりません。

歴史の静かな継承者となることこそが、利他に関与することなのではないかと私は考えています。

引用文献

蔭久孝統　2021　「認知症ケアと社会的包摂―注文をまちがえる料理店の事例から―」（東京工業大学、修士論文）

頭木弘樹　2020　『食べることと出すこと』医学書院

近内悠太　2020　『世界は贈与でできている――資本主義の「すきま」を埋める倫理学』NewsPicksパブリッシング

モース、マルセル　2014　『贈与論 他二篇』森山工訳、岩波文庫

第四章

偶然と運命

イラク人質事件と自己責任論

今の日本には、自己責任論という魔物が棲みついています。菅義偉《すがよしひで》内閣は「共助」「公助」よりも「自助」を先に掲げ、自己責任を原則とする方針を掲げました。

日本の現状は、OECD（経済協力開発機構）諸国と比較すると一目瞭然《りょうぜん》です。日本は明らかに「小さな政府」になっています。いや、正確に言うと「小さすぎる政府」になっています。租税負担率は低く、全GDP（国内総生産）に占める国家歳出の割合も低い。つまり、日本政府の収入・支出の規模は小さく、基本的に国民任せになっています。

私たちは生きていると様々なリスクに直面します。今は元気に仕事ができているけども、突然大きな事故に遭い、これまでのように仕事ができなくなってしまうことって、ありえますよね。難病を発症することだってあるかもしれません。コロナウィルスに感染して、後遺症に苦しむことになるかもしれない。みんな生きている以上、思いがけないリスクを抱えながら生活しています。

「小さすぎる政府」になると、国や行政は手厚い支援をしてくれません。リスクについては「自己責任で対応してくださいね」という姿勢になります。日本は、様々な領域でセーフティネットが崩壊し、思いがけないことが起きると、あっという間に生活が成り立たなくなってしまう状況になっています。

一方で、この自己責任論は、行政からの福祉的支援を受けている人たちを「既得権益」と見なしてバッシングします。生活保護の受給者に対してバッシングが起こり、心無い言葉が投げかけられたりします。社会的な連帯は失われ、支えあいの精神が溶解していきます。

自己責任論の原点となったとされるのが、二〇〇四年に起きたイラクでの日本人人質事件です。前年に始まったイラク戦争では、アメリカが戦況を優位に進めていたものの、現地の武装勢力との交戦状態はなかなか解消されず、戦争状態が長引いていました。武装勢力は、外国人の誘拐・監禁を行い、人質との交換として自国の軍隊のイラクからの撤兵を要求しました。

イギリス人やイタリア人と共に、日本人三名も誘拐され、武装勢力からイラクに駐留する自衛隊の撤兵が要求されました。このとき、沸き上がったのが自己責任論でした。人質になった人たちは、イラクの人たちの生活支援のボランティアであり、戦場の様子を伝えるジャーナリストでした。しかし、「自らの判断で危険なところに行ったのだから、リスクは自分で引き受けるべき」という自己責任論にさらされ、釈放後に帰国すると、様々な嫌がらせや誹謗中傷《ひぼうちゅうしょう》の声が向けられました。

このときの「自己責任論」の発端は、政治家の発言でした。当時、環境大臣を務めていた小池百合子さん（現東京都知事）は、拘束発覚直後に「（三人は）無謀《むぼう》ではないか。一般的に危ないと言われている所にあえて行くのは自分自身の責任の部分が多い」と述べています。この発言をきっかけに、自民党の国会議員から次々と「自己責任」という声が沸き上がり、三人へのバッシングが過熱化しました。

私が今でも忘れられずに覚えていることがあります。この人質事件が解決し、世論が平静を取り戻した頃、再び日本人が拘束される事件が起こりました。

人質になったのは当時二十四歳の香田証生《こうだしょうせい》さん。彼はバックパッカーとしてイラクに入国し、「イラクの聖戦アルカーイダ組織」を名乗るグループによって拉致《らち》されました。彼らが「四十八時間以内の自衛隊撤退」を要求する声明を出すと、小泉純一郎首相は「テロに屈することはできない。自衛隊は撤退しない」と表明し、交渉に応じない姿勢を鮮明にしました。結果、香田さんは殺害され、その動画がインターネットで公開されました。

私がショックだったのは、香田さんの遺族が息子のイラク入国を「自己責任」とし、「危険は覚悟の上での行動です」というコメントを出したことでした。そして、世論が香田さんの死を悼《いた》むよりも、「自己責任だから仕方がない」という冷たい反応を示したことでした。世の中全体が、殺害された青年に「自己責任」を突きつけ、悲しみの中にいる遺族までもが、その圧力に服従させられる。そんな光景を目の当たりにして、絶望的な気持ちになったことをよく覚えています。

当時、私はインドのヒンドゥー・ナショナリズム運動の研究調査を行っていました。一九九〇年代以降、インドではヒンドゥー教の過激組織の運動が高揚し、国内のムスリムやクリスチャンを襲撃する事件が多発しました。私は、このインドの宗教対立とナショナリズムの関係を調査するため、インドでフィールドワークを行いました。

そのため、イラクの人質事件は他人ごとではありませんでした。細心の注意を払い、情報を収集して行動していましたが、思いがけない出来事に巻き込まれる可能性はゼロではありませんでした。どれだけ慎重に行動しても、判断ミスをしてしまうことはあります。

――自分に何かあっても、国は助けてくれない。日本の人たちは「自己責任」という言葉を投げかけ、家族はバッシングされる。

そんな厳しい現実を突きつけられました。

タイの洞窟遭難事故

一方、「自己責任」という問題をめぐって、深く考えさせられる出来事がありました。二〇一八年にタイのタムルアン洞窟《どうくつ》で起きた遭難事故です。

地元のサッカーチームのコーチ一人と少年十二人の計十三人が洞窟に入ったものの、雨季で水位が上昇し、出ることができなくなりました。この様子は日本でも大きく報道されたため、記憶にある方が多いと思います。

遭難した十三名は、無事ダイバーによって救出されたのですが、その過程で、一名のダイバーが亡くなりました。また、周辺住民に大きな被害が出る問題も浮上しました。救出のためには、洞窟内に溜まった大量の水を汲みだす必要があり、その水が樹木を枯らしてしまう可能性があったのです。実際、ポンプで排出した水によって、多くの樹木が根枯れし、畑にも被害が出ました。

しかし、周辺住民は誰も遭難者を責めず、温かく迎えました。タイの世論も安堵《あんど》の声に包まれ、自己責任論はごく一部を除いて浮上しませんでした。

私は、とても安心したとともに、「これが日本だったら、どうなっただろう?」と考えざるを得ませんでした。

サッカーチームのコーチが、少年たちを洞窟に誘ったのは「肝《きも》だめし」をするためでした。要はちょっとした遊びのつもりが、取り返しのつかない出来事を引き起こし、多くの人たちの犠牲と労力を費やすことになったのです。

なのに、タイの人たちは寛大でした。このコーチをバッシングすることはなく、無事、元気に洞窟から出られたことを祝福したのです。

おそらくこれが日本だったら、コーチを批判する声が沸き上がり、その家族にまで激しいバッシングがなされたのではないでしょうか。少年たちはかわいそうな被害者と見なされ、その分、リーダーの責任を問う声が殺到したのではないかと思います。

私が私であることの偶然性

私は親鸞に大きな影響を受けてきたため、よく「こんなとき親鸞だったら、何て言うだろう?」と考えます。なので、イラク人質事件やタイ洞窟遭難事故のときも、「親鸞がコメントを求められたら何と言うだろう」と想像しました。

そのとき、思い浮かんだのが『歎異抄』第十三章の言葉でした。親鸞は次のように言っています。

さるべき業縁のもよおせば、いかなるふるまいもすべし。

現代語に訳すと「しかるべき業縁にうながされるならば、どんな行いもするだろう」という意味になります。親鸞は「いい人」と「悪い人」という二分法をとりません。人間はすべて愚かで、間違いを犯してしまう存在です。どんなに「いい人」と見なされている人でも、失敗や過失を犯してしまうことがあります。親鸞は、人間の「どうしようもなさ」に向き合い、自己の能力に対する過信を諫めました。

親鸞だったら、「自己責任論」を振りかざし、心無い言葉を投げつけている人に対して、「あなたが『その人』だった可能性はないのですか?」「あなただって境遇が違えば、判断を間違えることがありうるのではないですか?」と言ったのではないかと思います。

親鸞が見つめたのは、存在の偶然性という問題です。

――今の私が、今の状態にあることは「たまたま」である。様々な縁が重なり合い、偶然手にしているのが、私の境遇である。だから、私は「その人」であった可能性を捨てきれない。私たちは、業や縁によっていかなる振る舞いをするのか、わからない存在である。

そんな深い内省が、他者に対する過剰な非難を諌め、「自分もそうなっていたかもしれない」という意識へと導きます。自己と他者は置き換え可能な存在であり、自分も、いつ判断ミスをするかわからない存在です。親鸞の洞察は、脆弱《ぜいじゃく》な自己への想像力を喚起します。親鸞が見つめたのは「私が私であることの偶然性」であり、その「偶然の自覚」が他者への共感や寛容へとつながるという構造です。

私は、現代日本の行きすぎた「自己責任論」に最も欠如しているのは、自分が「その人であった可能性」に対する想像力だと思います。そして、それは自己の偶然性に対する認識とつながり、「自分が現在の自分ではなかった可能性」へと自己を開くことになります。「ハーバード白熱教室」で知られるマイケル・サンデルは、『実力も運のうち――能力主義は正義か?』という本を出しています。普通は「運も実力のうち」と言いますが、この本のタイトルは逆で「実力も運のうち」となっています。

サンデルが見るところ、私たちが「自分の実力の結果だ」と思っているものは、多分に「運」によってもたらされたものです。難関大学の入学試験に合格した人は、自分一人の力で成功したと思いがちです。しかし、そんなことはありません。そこには様々な「運」が介在していることを、サンデルは指摘します。

正真正銘の輝かしい成績によって入学した者は、自ら達成した成果に誇りを感じ、自力で入学したのだと考える。だが、これはある意味で人を誤らせる考え方だ。彼らの入学が熱意と努力の賜物であるのは確かだとしても、彼らだけの手柄だとは言い切れない。入学へ至る努力を手助けしてくれた親や教師はどうなるのだろうか？　自力ですべてをつくりあげたとは言えない才能や素質は？　たまたま恵まれていた才能を育て、報いを与えてくれる社会で暮らしている幸運についてはどう考えればいいだろうか？〔サンデル 2021：26-27〕

その通りですよね。自分が難関校に合格できたことの背景には、自分専用の部屋や机が与えられ、家庭教師をつけたり塾に通ったりする機会が与えられたことがあります。そのような環境が与えられたのは、そのような家に生まれたからに他なりません。私たちは、自分の生まれを自分の力で選択することはできません。それは私にたまたま与えられたものです。決して、自分の努力の賜物ではありません。

サンデルは、この「所与性」への認識こそが、自己の能力に対する過信を諫め、謙虚な姿勢を生み出すことになると言います。そして、そこに社会の「共通善」（コモン・グッド）が生まれ、行きすぎた格差を是正しようとする「正義」が発生すると主張します。つまり、私の存在にかかわる「偶然」や「運」に目を向けることで、私たちは他者へと開かれ、共に支えあうという連帯意識を醸成すると言うのです。

ここで言えるのは、「利他は偶然への認識によって生まれる」ということです。私の存在の偶然性を見つめることで、私たちは「その人であった可能性」へと開かれます。そして、そのことこそが、過剰な「自己責任論」を鎮《しず》め、社会的再配分に積極的な姿勢を生み出します。ここに「利他」が共有される土台が築かれます。

私はいなかったかもしれない――九鬼周造『偶然性の問題』

さて、この「偶然」という問題をめぐって、哲学的考察を深めた人がいます。九鬼周造《くきしゅうぞう》です。

九鬼は西田幾多郎や田邊元《はじめ》と並ぶ京都学派の哲学者として知られ、『「いき」の構造』が有名です。その彼の代表作が『偶然性の問題』です。

九鬼は、この本の冒頭で次のように言います。

偶然性とは必然性の否定である。必然とは必ず然《し》か有ることを意味している。すなわち、存在が何らかの意味で自己のうちに根拠を有《も》っていることである。偶然とは偶々《たまたま》然か有るの意で、存在が自己のうちに十分の根拠を有っていないことである。すなわち、否定を含んだ存在、無いことのできる存在である。換言すれば、偶然性とは存在にあって非存在との不離の内的関係が目撃されているときに成立するものである。有と無との接触面に介在する極限的存在である。有が無に根ざしている状態、無が有を侵している形象である。

偶然性にあって、存在は無に直面している。［九鬼 2012：13］

難しい文章ですが、九鬼は決定的に重要なことを言っています。私たちは「偶然」という問題に出会ったとき、同時に「無」という問題に直面していると言うのです。

彼はここで、私たちが「否定を含んだ存在、無いことのできる存在」だと述べています。つまり、偶然性の探究は、そもそも私という存在が〈いなかったかもしれない〉という可能性に出会わざるを得ないと言うのです。

――私は「無」であったかもしれない存在である。

そうですよね。

自分の両親が出会っていなかったら、どうなったか。出会いのタイミングがちょっとでもずれていたらどうなっていたか。そもそも、祖父と祖母が出会っていなかったら……。

考え始めると、私という存在が奇跡的な偶然の連鎖によって「ある」ことがわかります。この縁の連鎖が少しでもずれていたら、私は存在しません。偶然性に根拠づけられた私という存在は、常に「否定を含んだ存在」です。

この「偶然性」の問題をさらに追究すると、原初の問題に到達します。

――そもそも人類も存在しなかったかもしれない。世界もなかったかもしれない。

ホモ・サピエンスは今から四十万年前から二十五万年前に現れたとされます。しかし、そのほかに、ネアンデルタール人などの別の「ヒト」が存在しました。しかし、この「ヒト」たちは、気候変動や病気などによって絶滅し、現生人類が「ヒト」として生き残ったと考えられています。

ネアンデルタール人が絶滅し、現生人類が生き残ったのは、外在的な偶然性によっています。このことを考えると、私の前提となっている「人類」が、全く別の姿であった可能性が見えてきます。私たちが形成している文化や習俗などは全く存在せず、当然、私も存在しない。そんな世界が見えてきます。

もっと言えば、地球上のあらゆる生命が存在しなかった可能性や、地球そのものが存在しなかった可能性だってありえます。いや、むしろ宇宙の起源を探究すると、地球が存在することのほうが、奇跡的であると言えると思います。

九鬼は、このような根本的な偶然性のことを「原始偶然」と言いました。この「原始偶然」は、無限遡及《そきゅう》の果てにあるものです。起源への問いは、どうしてもこの「原始偶然」

に出会わざるを得ません。あらゆる存在の根拠は、究極の底が抜けているのです。「原始偶然」は、すべての存在の否定性を内包する恐ろしい存在です。しかし、一方で、これは世界のすべての可能性を含み込むものでもあります。

――世界は「ない」ことも可能だったのに、存在している。

この原理は、私が私であることの奇跡を想起させると同時に、私が今の私ではなかったかもしれない可能性に私を開きます。

九鬼は『ミリンダ王の問い』の一説を引用します。ギリシア人のミリンダ王は、仏僧ナーガセーナに問います。

> 「尊者《そんじゃ》よ、何故に一切の人々は等しくないか。何故に或者は短命、或者は長命、或者は病身、或者は健全、或者は醜く、或者は美しく、或者は無力、或者は有力、或者は貧乏、或者は富貴、或者は生れ下賤《げせん》に、或者は生れ高貴に、或者は愚、或者は賢であるか」［九鬼 1980：344-345］

私は私ではなかったかもしれない。私は「その人」であったかもしれない。この存在の偶然性に目を向けることが、私を私から解放し、他者と共にあることへと私を開いていきます。

偶然性に驚くこと

私という存在は、突然、根拠なく与えられたものです。あらゆる存在は、自己の意志によって誕生したのではなく、意志の外部の力によってもたらされたものです。ここに存在の被贈与性という原理があります。

そして、誕生以降も私という存在の奇跡は続きます。今の私は、様々な偶然性の奇跡的組み合わせによって成立しています。私という個性は、単純な因果関係では説明できない天文学的な縁起によって構成されています。

私は存在しなかったかもしれないのに、存在していること。私は今の私ではなかったかもしれないのに、今の私であること。

この偶然が持つ否定性と奇跡の感覚は、超越的存在の認識へと至らざるを得ません。九鬼は言います。

偶然性の問題は、無に対する問《とい》と離すことができないという意味で、厳密に形而上学の問題である。［九鬼 2012：14］

ここで言う「形而上学」というのは、超越的なものを探究する学問のことです。存在するものを起動させる究極の存在。つまり、神の存在です。偶然性を探究することは、どうしても神の探究に結びついていく。そう九鬼は言います。

偶然性は、奇跡的な出会いの連鎖を生み出します。予定調和的な出会いではなく、思いがけず出会うことを「邂逅《かいこう》」と言いますよね。九鬼が注目したのは、この「邂逅」です。

邂逅は驚きを伴います。

人は不意に大切なものや人と出会うと、驚きます。何気なく手に取った一冊の本が人生を切りひらいてくれたり、たまたま美術館で目にした一枚の絵が、自分の心を解放してくれたりすることってありますよね。そのとき、私たちは「はっ」となり、驚きの表情を浮かべます。そして、不思議な力に導かれているという感覚を持ちます。

――偶然性という「驚異」は、「形而上的情緒」である［九鬼 2012：235］。

九鬼はそう言います。これは重要なポイントです。

若松英輔さんとの邂逅

ちょっと私の経験を述べたいと思います。

私が大変尊敬し、兄のように慕《した》っている人に、若松英輔さんがいます。若松さんは日本を代表する批評家で、『魂にふれる――大震災と、生きている死者』『悲しみの秘義』『小林秀雄――美しい花』など多くの著作があります。

若松さんの存在を「知った」のは、二〇一一年五月。若松さんが書いた『井筒俊彦――叡知の哲学』が出版されたときでした。私は発売直後に書店で見かけ、すぐに購入しました。そして、あっという間に読み、「これはすごい本だ」と感嘆しました。

当時、私は朝日新聞の書評委員をつとめていたため、一気呵成《かせい》に書評を書きました。そして、しばらく経ってから若松さんと安藤礼二さんのトークイベントが神保町の東京堂書店で開催されることを知りました。

私は安藤さんの著作からも、大きく影響を受けていたため、どうしてもお二人に会いたいと思い、当時住んでいた札幌からこのイベントに行きました。そして、若松さんと対面しました。

「はじめまして」とあいさつをすると、若松さんから思いがけない返答がありました。

「いえ、実は以前にお会いしたことがあるんですよ」

驚きました。まさかの返事に動揺しつつ、自分の中で瞬時に記憶をたどりました。しかし、全く覚えていません。

失礼なことをしてしまったと思いながら、若松さんに「どちらでお目にかかりましたか？」と聞くと、「インドのデリーでお会いしたことがあるんです」と言われました。

私はデリーで調査をしているとき、日本人の建てた仏教寺院に下宿していたときがありました。そこの物置部屋のようなところに荷物を置かせてもらい、北インドのあちこちに出かけていました。

このお寺には、宿泊できる部屋がいくつかあったため、時折、日本人がやって来て滞在しました。お寺では、朝食と夕食を宿泊者全員でとるため、私もここに泊まりに来た人たちと、食事を一緒にとることがありました。若松さんは、このお寺に泊まり、私と一緒に食事をしたことがあるというのです。

ただ、このお寺で、私は若松さんと会話をしたわけではありませんでした。このとき、若松さんのほかにも七、八名の日本人がおり、その一団と食事をしたことは覚えていたのですが、若松さん個人を記憶にとどめることはありませんでした。つまり、私は若松さんとインドで出会い損ねていたのです。

東京堂書店でのイベントのあと、若松さんや安藤さん、出版社の方と食事に出かけました。私は若松さんの向かいの席に座り、じっくりと話をすることになりました。そこで私は、「次に何をお書きになる予定ですか?」と尋ねました。すると、若松さんは「死者についてです」と言いました。

また「えっ!」と、驚きました。

若松さんとお会いしたのは二〇一一年です。この年の三月に、東日本大震災がありました。私は当時、共同通信配信で「論考2011」という連載を持っていました。そこで、震災直後に「死者と共に生きる」という論考を書いたことがありました。

このとき、私は死者の存在を問うことの孤独を味わっていました。私は、政治学を専門としています。当時、勤務していたのは北海道大学の法学部でした。周りの教員は、みんな法律や政治を専門とする社会科学者ばかりです。そんな中で、死者の存在を問うことは、かなり異質なことでした。

自分の問うていることは、なかなか政治学や法学では理解されない。そんな孤独感にさいなまれていたとき、若松さんの口から「死者」という単語が出てきたのです。私は泣き出したい気持ちになりました。

このあと、若松さんとは連絡先を交換し、メールでのやり取りが始まりました。トークイベントで同席させていただく機会もあり、徐々に親密な関係ができてきました。

さて、それからしばらく経った頃です。

私は死者の存在が、立憲主義という政治問題と深くかかわっているのではないかと考え始めました。のちに「死者の立憲主義」という議論を展開することになるのですが、このときは、ふと思いついた直感のようなものでした。

――久しぶりに、若松さんにお会いして、意見を聞いてみたいな。

そう思いつつ、日常の仕事に追われていました。

ある日、私は大阪のテレビ番組に出演するため、東京駅から新幹線に乗り込みました。このときは、事前に席の予約をせず、東京駅到着後、電光掲示板の表示を見ながら、一番早く新大阪に到着する便の予約席を取りました。混雑していたのか、窓側の席はすべて埋まっており、私は空いていた通路側の席を予約しました。

出発時間が迫っていたため、私はホームに駆け上がり、出発間際の新幹線に飛び乗りました。そして、予約を取った席にたどり着き、荷物を置いて座ろうとしたところ、「あっ！」と声をあげて驚きました。

隣の席に若松さんが座っていたのです。

話を聞くと、若松さんも少し前に、たまたまこの席を予約したとのことでした。

若松さんは名古屋での仕事に向かっているところでした。東京・名古屋間の約一時間半、じっくり話をし、もやもやしていた頭の中がスッキリしました。お別れをし、新大阪駅までの車内から外の景色を見ていると、「これは神様の思し召しだ」という思いが湧き上がってきました。

――偶然性という「驚異」は、「形而上的情緒」である。

九鬼のこの文章を読むと、私はいつも若松さんとの邂逅を思い出します。

偶然と必然は時制が違う

さて、九鬼はここからさらに議論を進めます。それは偶然と必然の関係です。すでに紹介したように、九鬼は、『偶然性の問題』の冒頭で、「偶然性とは必然性の否定である」と言っています。しかし、本書の後半で、少し角度を変えて偶然と必然の構造を論じます。

偶然性に当価する感情はいかなる感情か。「奇遇」「奇縁」などの語の存在が示すごとく、偶然性の感情当価は驚異の情緒である。必然性が平穏という沈静的感情を有つのは、問題が分析的明晰をもって「既に」解決されているからである。それに反して偶然性が驚異という興奮的感情をそそるのは問題が未解決のままに「眼前に」投出されるからである。驚異の情緒は偶然性の時間性格たる現在性に基いている。要するに、必然はその過去的決定的確証性のために、弛緩および沈静の静的な弱い感情より有たないが、可能および偶然は問題性のために、緊張および興奮の動的な強い感情を齎《もたら》す

のである。［九鬼 2012：234-235］（傍点原著者）

私たちは、偶然の出来事に直面したとき、「あっ！」と驚きます。この「あっ！」の瞬間は、「現在」ですよね。九鬼が「驚異の情緒は偶然性の時間性格たる現在性に基づいている」と言っているのは、このことです。

この「あっ！」の瞬間は、「問題が未解決のままに『眼前に』投出され」ています。そうですよね。何が起こったのかとっさに判断できず、今起きている現実が、どのようなことにつながるのか、これからどうなっていくのか、「あっ！」の瞬間にはわかりません。

しかし、時間が経つと、そこに意味づけがなされていきます。思いがけず若松さんが隣の席にいたとき、私はただ驚いただけでしたが、次第に「これは神様の思し召しだ」と思い始め、そこから「そういえばデリーで会っていたことだって、偶然とは思えない」と考え始めました。私は若松さんとの出会いを必然的な「運命」だと思うようになっていったのです。

偶然と必然は、全く対立する概念ではありません。時制が違うのです。偶然は「現在性」という時制に基づき、「驚異という興奮的感情」をもたらします。しかし、私たちは時間が経つにつれて、偶然の驚異を飼いならし始めます。次第に「あれは運命の出会いだ」と感じるようになり、偶然を必然に読み替えていきます。つまり、今起きている偶然は、未来からやって来る「必然」という物語化によって、「運命」へと生まれ変わります。

運命は偶然に端を発しています。しかし、それを必然として引き受けたとき、私たちは「私をめぐる偶然」を所与のものとして引き受けます。

私が日本語を母語としていること。大阪で生まれ、大阪人の気質を受け継いでいること。顔や姿が親に似ていること。

すべては、私が意志を持って選択したものではありません。偶然という驚異によって成立しています。あらゆる存在は、与えられたもの、被贈与的なものです。そして、この被贈与性を「私」として受け止めたとき、「偶然」は「運命」へと姿を変えます。私は私という摩訶不思議な運命を生きていこうとします。

九鬼は「偶然と運命」という論考の中で、次のように言っています。


人間としてその時になし得ることとは、意志が引返してそれを意志して、自分がそれを自由に選んだのと同じわけ合いにすることであります。[九鬼 1991：80-81]

私は、私をめぐる「偶然」を、意志を持って引き受けることで、私を生きることができます。私を生きることとは、私という偶然的な被贈与性を受け入れ、運命を能動化する作業です。

――受動こそが能動。

そんな反転した構造が、生きるということの根底にはあるようです。

ジャック・アタリ「合理的な利他」を再び考える

私たちは縁起的な偶然を、のちに因果的な必然へと読みかえ、経験し直します。偶然とは、過去と現在が物語化されていない状態であり、「この現在」が未来から物語化されるとき、偶然が必然へと変化します。

この時間のあり方は、ここまで述べてきた「利他の時制」と深くかかわっています。利他とは、「とっさに」「ふいに」「つい」「思いがけず」行ったことが他者に受け取られ、利他と認識されたときに起動するものです。その行為が利他的であるか否かは、行為者本人の決めるところではありません。利他はあくまでも受け取られたときに発生するものであり、事後的なものです。「利他」という現象は、「この現在」の行為が受け手によって「利他」として意味づけられた未来において、起動するのです。これは偶然・必然と同じ構造です。

特定の行為が「利他」へと昇華されたとしても、行為者に相手から直接、返礼があるわけではありません。相手に直接的な互恵関係を強いると、相手に「負い目」や「負債感」を押しつけることになり、次第に支配／被支配の関係が立ち上がります。私たちは、直接的な見返りを求めてはいけません。そのことで利他の構造は、一気に支配の構造へと転化します。

ここで出てくるのが、間接互恵という関係性です。これは、特定の行為が利他の連鎖を生み出し、結果的に自己に返ってきて、利益がもたらされるというものです。自分の行った行為やギフトのお返しが、その行為の受け手から直接なされるのではなく、まわりまわって自分に利益をもたらすという循環システムが間接互恵です。

利他や贈与の議論は、時に「直接互恵は問題がある一方で、間接互恵こそが重要」という結論になりがちです。確かに、間接互恵は円環的な相互依存システムであり、連環する世界のあり方を引き受ける点で、重要な意味を持ちます。私も利他の可能性は、この間接互恵関係に行き着くと思います。

しかし、注意しなければならないことがあります。それは、間接互恵が前提となると、「いいことをすれば、将来、利益となって返ってくる」という思いが共有され、行為の動機づけになっていくという点です。

これって、どうでしょう？

将来の利益を期待した行為は、贈与や利他ではなく、時間を隔てた交換になっていますよね。今の行為が、将来の利益と等価交換されることが想定されており、利他の可能性が捨象されています。「今、損をしても、いずれ間接的な互酬関係によって、利益がもたらされる」という考えは、とても打算的です。「将来の自分に利益がありますように」と願って渡すプレゼントは、かなり利己的なものです。贈与ではなく、間接互恵を利用した交換に他なりません。

利他は未来への投資ではありません。

ここに、「はじめに」で触れたジャック・アタリの「合理的利他主義」の問題があります。他者に対して利他的であることが、自分に利益の最大化をもたらす。だから、利他的な振る舞いをすることこそが、合理的な選択である。そうアタリは言います。

この「合理的利他主義」は、まさに未来への投資としての利他ですよね。つまり、利他の事後性をあらかじめ先取りする行為です。これは危ない、と私は強く思います。

なぜならば、「合理的利他主義」は、自分が利他だと思った行為が、そのまま利他として受け取られることを前提としているからです。「利他的な行為」を自明のものとしてしまうと、自分の行為を相手に利他として受け取るよう強要してしまいます。

第三章で見たように、私がいかに相手のことを思って行ったことでも、相手にとっては「困ったこと」であったり「ありがた迷惑」であったりすることがあります。利他を押し付けることとは、利己以外の何物でもありません。「合理的利他主義」には、相手を制御し、コントロールしようとする欲望が含まれています。

間接互恵システムは、重要です。しかし、これも利他の事後性に規定されています。行為を行う時点で、未来は未知の存在です。間接互恵もまた未来の偶然的結果であって、事前にコントロールすることはできません。

私たちは時に「こんないいことが自分に起こったのは、あのとき、自分が利他的なことをしたからだ」と思い、〈過去の行為〉と〈もたらされた利益〉を因果関係で捉えようとします。しかし、あらゆる因果の物語は、事後的に見いだされるものです。

これは国立博物館の展示に似ています。私は外国に行くと、可能な限りその国の国立博物館に行くことにしています。そこに行くと、国民の歴史が古い時代から順番に展示されています。しかし、多くのネイション（国民）の意識が生成したのは近代に入ってからです。それ以前には、現在の国境で区切られた空間が均質的に支配されていたわけではなく、アイデンティティも別の形だったり、重層的だったりしました。

近代より以前、アイヌの人たちは日本人であるというアイデンティティは持っていませんでした。琉球王国に住んでいた人たちも同様です。なのに、北海道や沖縄は、国立博物館ではナショナル・ヒストリーの一部として展示されます。そもそも縄文時代に日本人なんていう意識があったでしょうか？　日本という枠組みはあったでしょうか？　しかし、縄文人はナショナル・ヒストリーの重要な構成要素として展示されます。

国立博物館では、時間は過去から現在に向かって流れているのではありません。現在から過去に向かって流れているのです。現在の国民国家の領域がまずあり、その枠組みから歴史が遡行《そこう》され、ナショナル・ヒストリーが構成されます。この作業によって、無数の縁の絡まり合いによる偶然の帰結である現在が、太古の昔から因果によって導かれた必然の存在として表象されます。これが国立博物館の展示であり、ナショナル・ヒストリーの正体です。

因果の物語は、偶然を必然として経験し直すことです。なので、私たちが間接互恵を経験するのは、現在から過去を遡行して、因果の物語を形成する際です。

しかし、特定の行為を行う「現在」において、未来との因果は成立していません。私たちの行為は、どのように展開し、どのように受け取られるか、未知のままです。一方、アタリの「合理的利他主義」は、不可知の未来をコントロールすることで、間接互恵を起動させようとします。

アタリが想定する世界では、可能態としての未来が失われています。間接互恵をめぐる因果を前提とすると、未来は現在の中に飲み込まれてしまいます。現在が未来を支配してしまいます。間接互恵は前提とされるべきものではありません。あくまでも結果的に現れるものであり、因果は事後的に物語として経験されるものです。

前章までで述べてきたように、利他は未来からやって来ます。その未来を現在化することは、利他が本質的に成立しないことを意味します。「合理的利他主義」は利他ではありません。むしろ利他の本質を崩壊に導くイデオロギーです。

未来によって今を生きる

こう考えていくと、現在はとても不安定な場所であることに気づかされます。九鬼が言うように、現在は「問題が未解決のままに『眼前に』投出され」た状態です。今起きている偶然の出来事が、これから自分をどこに導いていくのかわかりません。しかも、この偶然には「無」という否定性が含まれています。私が私であることは、そもそも自明のことではありません。私は存在しなかったかもしれないし、全く別の存在だったかもしれないのです。

——私とは誰なのか？　私が私であるとは、一体どういうことなのか？

偶然の問題は、遡及すると「原始偶然」に行き当たり、存在根拠の底が抜けているという事実に出会います。私の存在は確たるものではなく、世界の存在も自明のものではありません。

とはいえ、私は現に「今」という時間を生きています。「今」を生きる私は、ここに存在します。しかし、この「今」がどのような意味を持つのかは、わかりません。

——私が行っていることに、果たして意味があるのか？

その答えを、私たちは「今」という時間において手にすることはできません。意味は、事後的に見いだされるものであって、「今」の時点では不可知の存在だからです。

すると、私たちは「今」を生きることのむなしさに直面します。

どんなに頑張っても、もしかしたら意味のないことかもしれない。誰にも受け取ってもらえないかもしれない。独りよがりの空回りかもしれない。そんな思いに支配されると、今を生きることに消極的になるかもしれません。

しかし、九鬼はここにこそ生きることの無限の価値が現れていると言います。

我々は偶然性の驚異を未来によって倒逆的に基礎づけることができる。偶然性は不可能性が可能性へ接する切点である。偶然性の中に極微の可能性を把握し、未来的なる可能性をはぐくむことによって行為の曲線を展開し、翻って現在的なる偶然性の生産的意味を倒逆的に理解することができる。［九鬼 2012：281-282］

私たちは、今を生きることの意味に悩み、むなしさを感じます。こんなことをやっていて何の意味があるのかと苦しみます。しかし、「偶然性は不可能性が可能性へ接する切点」です。自分には価値がないと思っていても、偶然の現在を受け止め、未来に自己を投企すると、思ってもいないような価値を生み出す可能性があります。

第三章で論じた「あのときの一言」を思い出してください。自分の口から出た何気ない一言が、受け手の人生を大きく進展させ、才能を開花させることにつながることがあります。その一言が発せられた瞬間には、その言葉がいかなる価値を持つのかはわかりません。しかし、「今」という偶然性は、常に未来の可能性へと投企されます。

受け手が何十年も経ってから、自己の歩みと「あのときの一言」を因果の物語として捉えたとき、過去となった「今」に意味が与えられます。「あのときの一言」は、未来から「利他的なもの」として認識され、私は利他の主体へと押し上げられます。

だから九鬼は言うのです。「現在的なる偶然性の生産的意味」は、未来から「倒逆的」にしか理解できない、と。

私は「今」の意味を、未来から贈与されるのです。そのためには、「今」を精一杯、生きなければなりません。偶然の邂逅に驚き、その偶然を受け止め、未来に投企していく。その無限の連続性が、私たちが生きていることそのものであり、世界の有機的な連環を生み出す起点なのです。
九鬼は言います。

無をうちに蔵して滅亡の運命を有する偶然性に永遠の運命の意味を付与するには、未来によって瞬間を生かしむるよりほかはない。未来的なる可能性によって現在的なる偶然性の意味を奔騰させるよりほかはない。［九鬼 2012：282］

私たちは、未来によって今という瞬間を生きています。「未来的なる可能性」が、今起きている偶然の意味を「奔騰《ほんとう》」させます。この構造を認識し、自己を偶然に開いていくことこそ、利他の円環を生み出していく動力となるのです。

最後に九鬼は、『無量寿経《むりょうじゅきょう》』の注釈書である『浄土論』の一説を引いたうえで、次のように言います。

不可能に近い極微の可能性が偶然性において現実となり、偶然性として堅く掴まれることによって新しい可能性を生み、さらに可能性が必然性へ発展するところに運命

としての仏の本願もあれば人間の救いもある。〔九鬼2012：282〕

偶然性が可能性を生み、それが必然性へと発展することで、「運命」が生まれる。これが「仏の本願」であり、「人間の救い」である。そう九鬼は力を込めて言っています。

――「仏の本願」と「人間の救い」。

それは偶然を受け止め、偶然の中を懸命に生きることによってもたらされます。自己の能力に対する過信を諌め、自己の存在の否定性を凝視《ぎょうし》する。その先で、私たちは他者に開かれ、未来の可能性に向かって生きることができるのです。

第一章で取り上げた落語「文七元結」を思い出してください。この噺の核心部分について、晩年の立川談志は次のように言っています。

「なんで五十両やるんだろうね？」「えらいところを通っちゃったからやるんだけどね」

談志が注目したのは、長兵衛が吾妻橋を渡った偶然性です。長兵衛は、その日のその時間に、たまたま吾妻橋に差し掛かったのです。そして、この偶然性を全力で受け止めたことが、五十両を差し出すことにつながり、未来の幸福につながったと解釈しています。

吾妻橋を渡ったとき、長兵衛はのちに思わぬ幸福がやって来るなどとは、考えもしませんでした。彼は、偶然にも吾妻橋を渡り、身投げしようとしている文七と出会ってしまったのです。彼はこの「邂逅」をスルーすることもできました。見て見ぬふりをし、家に帰ることもできました。何せ、懐には大切な五十両という大金が入っているのですから。

しかし、長兵衛は立ち止まり、文七を抱きしめ、説得し始めます。そして、思いがけず五十両を差し出し、「金比羅さまでもお不動様でもいい。拝んでくれ」と言います。

こののち、長兵衛に幸福がやって来るのですが、それはあとになってわかる「結果」であって、この時点で五十両を差し出したこととの間に因果は成立していません。五十両を失った長兵衛は、再び一文無しの「裸」になり、途方に暮れるしかありませんでした。

しかし、ここに超越的な力が働くのです。長兵衛には唐突に「祈り」がやって来て、それが文七に託されます。この神仏への祈願が、利他の循環を生み出し、長兵衛は救済されます。

――「可能性が必然性へ発展するところに運命としての仏の本願もあれば人間の救いも

ある」。

偶然の縁が必然の因果に転化するとき「運命」が現れ、人は救済される。そこに働いている力が「仏の本願」である。九鬼の結論は、「文七元結」の構造と重なります。

長兵衛はなぜ利他の循環を生み出すことができたのか。

それは偶然通りかかった吾妻橋で、「身が動いた」からです。身を投げようとする青年を目の当たりにして、思わず駆け寄って抱き寄せた。そのとっさの行動が文七に受け取られ、利他を起動させることになったのです。

引用文献

九鬼周造　1980『九鬼周造全集 第二巻』岩波書店

1991『九鬼周造随筆集』岩波文庫

2012『偶然性の問題』岩波文庫

サンデル、マイケル　2021『実力も運のうち——能力主義は正義か?』鬼澤忍訳、早川書房

おわりに

利他は自己を超えた力の働きによって動き出す。利他はオートマティカルなもの。利他はやって来るもの。利他は受け手によって起動する。そして、利他の根底には偶然性の問題がある——。

本書では、様々なことを述べてきました。私たちが利他的であろうとするとき、そこには利己的な欲望が含まれていることも見てきました。利他には、意識的に行おうとすると遠ざかり、自己の能力の限界を見つめたときにやって来るという逆説があります。

そうすると、私たちは何をすればいいのかわからなくなってしまいます。利他的であろうとすると利他が逃げていくのだったら、私はどうすればいいのか。利他が偶然性に依拠しているとすれば、偶然の出来事が起こることをただ待っていればいいのか。そんなふうに思うかもしれません。

しかし、偶然は偶然には起こりません。

九鬼周造は『偶然性の問題』の中で、次のように言っています。

東洋の陶器の鑑賞に偶然性が重要な位置を占めていることを考えてみるのもいい。陶器の制作に当っては、窯の中の火が作者の意図とは或る度の独立性を保って制作に与《あずか》るのである。そこから形にゆがみができたり、色に味がにじみ出たりする。いわゆる窯変《ようへん》は芸術美自然美としての偶然性にほかならない。［九鬼 2012：242-243］

「窯変」とは、陶磁器を焼く際、炎の性質や釉《ゆう》の中に含まれている物質などの関係で、色彩光沢が予期しない色となることです。「窯変」は英語で accidental coloring と言われたりします。「偶然に生じた色彩」ということですよね。

では、窯変は本当に偶然だけに依拠しているのでしょうか？

私は陶器を制作したことが全くありません。ろくろを回したこともなく、窯《かま》を使ったこともありません。そんな人間が、唐突に窯変の美しい陶器を作ることができるかというと、不可能でしょう。そもそも私は釉薬のかけ方も知らず、焼き方も知りません。そんな人間が、いきなり秀でた芸術作品を作ることはできません。

つまり、裸の偶然は存在しないのです。

職人は、長い年月をかけた修業と日々の鍛錬の積み重ねの上で、偶然を呼び込みます。窯変は、蓄積された経験と努力のもとにやって来ます。確かに、陶器がどのように焼きあがるかは、窯から出してみなければわかりません。人間の力では制御できない火の力によって化学反応が起き、思いがけない美が誕生します。そこには「他力」としか言いようのない「力」が働いています。しかし、その美が生まれるためには、窯に入れるまでに様々な技巧が施されなければなりません。

「他力本願」とは、すべてを仏に委ねて、ゴロゴロしていればいいということではありません。大切なのは、自力の限りを尽くすこと。自力で頑張れるだけ頑張ってみると、私たちは必ず自己の能力の限界にぶつかります。そうして、自己の絶対的な無力に出会います。

重要なのはその瞬間です。有限なる人間には、どうすることもできない次元が存在する。そのことを深く認識したとき、「他力」が働くのです。そして、その瞬間、私たちは大切なものと邂逅し、「あっ！」と驚きます。これが偶然の瞬間です。

重要なのは、私たちが偶然を呼び込む器になることです。偶然そのものをコントロールすることはできません。しかし、偶然が宿る器になることは可能です。

そして、この器にやって来るものが「利他」です。器に盛られた不定形の「利他」は、いずれ誰かの手に取られます。その受け手の潜在的な力が引き出されたとき、「利他」は姿を現し、起動し始めます。

このような世界観の中に生きることが、私は「利他」なのだと思います。

だから、利他的であろうとして、特別なことを行う必要はありません。毎日を精一杯生きることです。私に与えられた時間を丁寧に生き、自分が自分の場所で為《な》すべきことを為す。能力の過信を諌め、自己を超えた力に謙虚になる。その静かな繰り返しが、自分という器を形成し、利他の種を呼び込むことになるのです。

いま私は、利他をそういうものとして認識しています。

＊

本書は東京工業大学未来の人類研究センターの「利他プロジェクト」を進める過程で書かれました。

本書の著者は一応「私」ですが、私一人で書いた本ではありません。プロジェクトのメンバー、そして研究会でお話しくださったゲストの方々の知見が多く含まれています。多くの人の声が、私の中に蓄積し、私を通して表出されたものが、この本です。

このプロジェクトのメンバーである伊藤亜紗さん、磯崎憲一郎さん、若松英輔さん、國分功一郎さん、山崎太郎さん、木内久美子さん、北村匡平《きょうへい》さん、中原由貴さんに心から感謝したいと思います。また、未来の人類研究センター設立にご尽力くださった東京工業大学のみなさま、活動を支えてくださっている企業のみなさま、研究会にゲストスピーカーとして参加くださったみなさまに御礼を申し上げたいと思います。

ミシマ社の星野友里さんは、センターの研究会に参加くださり、私たちの研究と並走してくださっています。星野さんの支えによって、何とか書くことができました。編集を担当いただいた三島邦弘さんには単著のご依頼をいただいてから、かなりの年月、お待たせすることになりました。当初考えていた内容とは大きく異なるテーマになりましたが、私の問題関心に寄り添っていただき、この本ができました。装丁家の矢萩多聞さんには、今回もお世話になりました。ありがとうございました。

二〇二一年九月

中島岳志

本書の第一章と第二章は「みんなのミシマガジン」(mishimaga.com)に「利他的であること」(二〇二〇年九月~二〇二一年四月)と題して連載されたものを再構成し、加筆・修正したもので、第三章と第四章は書き下ろしです。

日本音楽著作権協会(出)
許諾第二一一〇八〇五六―一〇一号

中島岳志（なかじま・たけし） 1975年大阪生まれ。大阪外国語大学卒業。京都大学大学院博士課程修了。東京工業大学リベラルアーツ研究教育院教授。専攻は南アジア地域研究、近代日本政治思想。2005年、『中村屋のボース』で大佛次郎論壇賞、アジア・太平洋賞大賞受賞。著書に『パール判事』『秋葉原事件』『「リベラル保守」宣言』『血盟団事件』『アジア主義』『下中彌三郎』『保守と立憲』『親鸞と日本主義』『利他とは何か』など。ミシマ社からは『現代の超克』（若松英輔との共著）、『料理と利他』『ええかげん論』（ともに土井善晴との共著）を刊行。

思いがけず利他

2021年10月20日　　初版第1刷発行
2024年 4 月29日　　初版第10刷発行

著　者　中島岳志

発行者　三島邦弘

発行所　株式会社ミシマ社
郵便番号　152-0035
東京都目黒区自由が丘2-6-13
電話　03-3724-5616
FAX　03-3724-5618
e-mail　hatena@mishimasha.com
URL　http://www.mishimasha.com/
振替　00160-1-372976

装丁・レイアウト　矢萩多聞
装画　丹野杏香
組版　有限会社エヴリ・シンク
印刷・製本　シナノ印刷株式会社

ISBN　978-4-909394-59-0

好評既刊

料理と利他

土井善晴・中島岳志

「自然－作る人－食べる人」という関係のあいだに、利他がはたらく。
コロナ禍で家にいる時間が長くなり、みなが向き合うことになったのは、料理という人類の根本的な営みだった。世界の劇的な変化が語られがちだが、私たちがまず見つめ直し、変えられるのは、日常の中にあることではないか。圧倒的支持を受けたオンライン対談を、ライブの興奮そのままに完全再現！　MSLive！Books第一弾。

ISBN 978-4-909394-45-3　　1500円＋税

現代の超克

本当の「読む」を取り戻す

中島岳志・若松英輔

現代日本の混迷を救うため、気鋭の政治哲学者、批評家の二人が挑んだ、全身全霊の対話。
柳宗悦、ガンディー、小林秀雄、福田恆存、『近代の超克』……今こそ、名著の声を聴け！

ISBN 978-4-903908-54-0　1800円＋税

奇跡の本屋をつくりたい

くすみ書房のオヤジが残したもの

久住邦晴（くすみ書房・店主）

「なぜだ⁉ 売れない文庫フェア」「中高生はこれを読め！」「ソクラテスのカフェ」……ユニークな企画を次々と生み出し、地元はもちろん、遠方からも愛された札幌・くすみ書房の店主。閉店後、病が発覚し、2017年8月末、他界。その著者の遺稿を完全収録。中島岳志が解説を担当。

ISBN 978-4-909394-12-5　1500円＋税